HSK 考前

（初、中等）

（一）

编　者　孙欣欣　高　典

北京语言大学出版社
BEIJING LANGUAGE AND CULTURE
UNIVERSITY PRESS

（京）新登字 157 号

图书在版编目（CIP）数据

HSK 考前模考·初、中等（I）/ 孙欣欣、高典编.
—北京：北京语言大学出版社，2006 重印
ISBN 7－5619－1608－6

Ⅰ．H…
Ⅱ．①孙…②高…
Ⅲ．汉语－对外汉语教学－水平考试－习题
Ⅳ．H195.4－44

中国版本图书馆 CIP 数据核字（2006）第 024363 号

书　　名：HSK 考前模考·初、中等（I）
责任印制：乔学军

出版发行：北京语言大学出版社
社　　址：北京市海淀区学院路 15 号　邮政编码 100083
网　　址：http://www.blcup.com
电　　话：发行部　82303650/3591/3651
　　　　　编辑部　82303392
　　　　　读者服务部　82303653/3908
印　　刷：北京中科印刷有限公司
经　　销：全国新华书店

版　　次：2006 年 3 月第 1 版　2006 年 12 月第 2 次印刷
开　　本：787 毫米×1092 毫米　1/16　印张：4.25　答题卡：2
字　　数：90 千字　印数：3001－6000 册
书　　号：ISBN 7－5619－1608－6/H·06055
定　　价：12.00 元

凡有印装质量问题，本社负责调换。电话：82303590

目　　录

HSK
考前模考（初、中级）

模拟试卷（一）

注 意 事 项

一、汉语水平考试（HSK）包括四项内容：

   （1）听力理解（50 题，约 35 分钟）

   （2）语法结构（30 题，20 分钟）

   （3）阅读理解（50 题，60 分钟）

   （4）综合填空（40 题，30 分钟）

   全部考试时间约需 145 分钟。

二、全部试题答案必须写在答卷上，不能写在本试卷上。多项选择题（1～154 题）都有
四个供选择的答案，要求在答卷上画出代表正确答案的字母，每题只能画一横道，
多画作废。如：[A] [B] [C] [■]。请考生注意，HSK 使用阅读机阅卷，横道一定
要画得粗一些，重一些，否则阅读机难以识别。综合填空题第二部分（155～170
题），请在答卷上的空格中各填写一个恰当的汉字。

三、注意看懂题目的说明，严格按照说明的要求，在规定的时间内回答问题。听力理解
试题，每个问题后空 15～20 秒的时间，以供选择答案。

四、严格遵守考场规则，听从主考人的指挥。考试结束后，必须把试卷和答卷留下，放
在桌上。等监考人员回收、清点后，才能离场。

一、听力理解

(50题，约35分钟)

第一部分

说明：1～15题，这部分试题，都是一个人说一句话，第二个人根据这句话提一个问题，请你在四个书面答案中选择唯一恰当的答案。

例如：第6题，你听到：

第一个人说：现在差一刻十点。

第二个人问：现在几点了？

你在试卷上看到四个答案：

    A. 十点一刻   B. 十点   C. 十点四十五   D. 九点四十五

第6题唯一恰当的答案是D，你应在答卷上找到号码6，在字母D上画一道横道，横道一定要画得粗一些，重一些。

6.〔A〕 〔B〕 〔C〕 〔■〕

1. A. 姐姐的工作
   B. 姐姐的一生
   C. 姐姐的心理健康
   D. 姐姐的婚姻

2. A. 很轻松
   B. 很着急
   C. 很拥挤
   D. 很愉快

3. A. 火车上
   B. 汽车上
   C. 船上
   D. 飞机上

4. A. 劝说
   B. 介绍
   C. 商量
   D. 命令

5. A. 四面八方
   B. 南方
   C. 北方
   D. 东部

6. A. 哪个时代都不重视教育
   B. 每个时代都重视教育
   C. 这个时代最不重视教育
   D. 这个时代最重视教育

7. A. 和以前一样
    B. 更亲密
    C. 紧张
    D. 和睦

8. A. 她一定会来
    B. 她一定会感到奇怪
    C. 她一定不来
    D. 她这人有些奇怪

9. A. 国产家电的质量问题
    B. 国产家电的价格不贵
    C. 国产家电的质量很好
    D. 国产家电销量好的原因

10. A. 你儿子长得真高
    B. 你儿子长得真快
    C. 你儿子年纪不小了
    D. 你儿子真懂事

11. A. 很一般
    B. 不像话
    C. 够意思
    D. 他们很让人生气

12. A. 我说的没用
    B. 他说话算数
    C. 我理解他的话
    D. 他在外面

13. A. 车费太贵
    B. 人们的时间观念差
    C. 公共汽车太少
    D. 城市太大

14. A. 人们没听说过
    B. 人们不放心
    C. 人们都忘了
    D. 人们受不了

15. A. 骑车人
    B. 司机
    C. 行人
    D. 交警

1·1·1·1·1·1·1

第二部分

16. A. 否定
    B. 感谢
    C. 生气
    D. 谦虚

17. A. 不合适
    B. 她身材不好
    C. 这是结婚礼服
    D. 颜色过分鲜艳

18. A. 跟皇帝一样
    B. 不幸福
    C. 不清楚
    D. 压力很少

19. A. 在包里
    B. 在衣服兜里
    C. 在手里
    D. 丢了

20. A. 男人的妻子与众不同
    B. 男人的妻子不合群
    C. 女的应该喜欢逛街
    D. 女的大都不喜欢逛街

21. A. 老李家
    B. 上海
    C. 北京
    D. 不清楚

22. A. 互相请教
    B. 互相祝贺
    C. 互相恭维
    D. 咨询问题

23. A. 地点不好
    B. 时间不巧
    C. 没讨论呢
    D. 意见有分歧

24. A. 儿子长大了
    B. 工作有成绩了
    C. 搬家
    D. 儿子要结婚了

25. A. 非常赞成
    B. 不太赞成
    C. 完全否定
    D. 无所谓

26. A. 公司
    B. 学校
    C. 机关
    D. 医院

27. A. 一点儿也不能看
    B. 看完电视马上做作业
    C. 做完作业一小时后再看电视
    D. 做完作业可以看一个小时电视

28. A. 指责对方
    B. 感谢对方
    C. 向对方祝贺
    D. 向对方道歉

29. A. 哥哥的想法也是我的想法
    B. 哥哥和我前途不同
    C. 我和哥哥不一样
    D. 我和哥哥没关系

30. A. 脾气好
    B. 很体贴
    C. 让她受不了
    D. 有时候会大发脾气

31. A. 商场搬走了
    B. 商场倒闭了
    C. 空调着火了
    D. 退货无门

32. A. 挣不来钱
    B. 效益低
    C. 短期没好处
    D. 损害长期利益

33. A. 反对
    B. 赞成
    C. 无所谓
    D. 中立

34. A. 这是不理想的
    B. 这是不满意的
    C. 这是不现实的
    D. 这是不适合的

35. A. 黑的
    B. 红的
    C. 金黄的
    D. 白的

5

第三部分

说明：36～50题，这部分试题，你将听到几段简要的讲话或对话。每段话之后，你会听到若干个问题，请你在四个书面答案中选择唯一恰当的答案。

例如：第 39～40 题，你听到：

男：都八点了，你急急忙忙去哪儿啊？

女：我去买点菜。

男：你还没吃饭呢。

女：是啊。今天加班。刚回来。你在干吗？

男：刚吃完饭，出来散散步。

第三个人根据这段对话提出两个问题：

39. 他们在哪儿谈话？

你在试卷上看到四个答案：

A. 公共汽车上　　B. 饭馆　　C. 去市场的路上　　D. 女人家里

根据对话，第 39 题唯一恰当的答案是 C，你应在答卷上找到号码 39，在字母 C 上画一道横道，横道一定要画得粗一些，重一些。

39. [A]　　[B]　　[■]　　[D]

你又听到：

40. 男的在干什么？

你在试卷上看到四个答案：

A. 吃饭　　B. 散步　　C. 买菜　　D. 加班

根据对话，第 40 题唯一恰当的答案是 B，你应在答卷上找到号码 40，在字母 B 上画一道横道，横道一定要画得粗一些，重一些。

40. [A]　　[■]　　[C]　　[D]

36. A. 同事
　　B. 同屋
　　C. 同学
　　D. 邻居

37. A. 饭店
　　B. 加拿大
　　C. 女的家
　　D. 男的家

38. A. 走路速度
    B. 工作速度
    C. 邮局职工卖邮票的速度
    D. 公共场所的时钟准确度

39. A. 十一
    B. 十七
    C. 二十二
    D. 三十一

40. A. 亚洲人
    B. 墨西哥人
    C. 文莱人
    D. 巴西人

41. A. 加拿大的节奏
    B. 日本的节奏
    C. 西欧的节奏
    D. 美国的节奏

42. A. 纸盒
    B. 塑料袋
    C. 方塑料盒
    D. 碟子

43. A. 两角五分
    B. 五毛二
    C. 七块
    D. 七块两毛五

44. A. 非常高兴
    B. 不理解
    C. 不高兴
    D. 发狂

45. A. 节约能源
    B. 用塑料袋装东西
    C. 减少生活垃圾
    D. 不污染环境

46. A. 休闲娱乐设施太少
    B. 人员流动太大
    C. 社会服务业所占比例过大
    D. 客流量小

47. A. 夜总会最多
    B. 排队看电影
    C. 名牌店最多
    D. 购物环境好

48. A. 增加名牌店
    B. 改商业场所为旅游胜地
    C. 增设电影院
    D. 多元化发展

49. A. 总长的 30％
    B. 总长的 80.5％
    C. 800 米
    D. 1500 米

50. A. 超过人的体力
    B. 重娱乐轻购物
    C. 商业街比重大
    D. 和王府井相似

二、语法结构

（30题，20分钟）

第一部分

说明：51～60题，在每一个句子下面都有一个指定词语，句中 A、B、C、D 是供选择的
四个不同位置，请判断这一词语放在句子中哪个位置上恰当。

例如：

56. 他们 A 还 B 决定 C 暑假 D 去不去上海旅行。

　　　　　没有

"没有"只有放在句子 B 的位置上，使全句变为"我们还没有决定去不去上海旅
游。"才合乎语法。所以第 56 题唯一恰当的答案是 B。你应该在答卷上找到号码
56，在字母 B 上画一横道，横道一定要画得粗一些，重一些。

56. [A]　　[■]　　[C]　　[D]

---

51. 我们要 A 自信、B 自强，我们 C 也不比别人差 D。

　　　　　一点儿

52. 1980 年，国务院 A 在五届人大三次会议上 B 提出一对夫妇只生育一个孩子，C 控制人口 D。

　　　　　以

53. 现在 A 是市场经济，人们的观念 B 势必要 C 时代潮流的变化而转变。然而，D 这并不意
味着金钱万能。

　　　　　随着

54. 用放长假 A 来 B 促进旅游 C 已经收到了明显的效果，但 D 暴露出不少问题。

　　　　　也

55. A 俗话 B，"在家靠父母，出门靠朋友"，C 可见 D，朋友在我们的生活中占有重要的
地位。

　　　　　说

56. 一个城市的文化特色 A 要 B 经过几百年 C 甚至上千年的沉淀才 D 得以形成。

　　　　　往往

57. A 后来 B 老同学的引见，C 我 D 认识了仰慕已久的王教授。

　　　　　经过

58. 近年来，A 人们的生活工作 B 离不开电脑，C 电脑给人们带来了 D 许多方便。

　　　　　越来越

59. 今年强冷空气活动不频繁，A 多弱冷空气，空气中的湿度 B 又大，水汽 C 遇冷凝结后，D 很容易形成云雾。

却

60. 面对大商场的打折酬宾活动，只要您 A 别盲目、别冲动，认真分析自己 B 需要买什么东西，C 弄清楚折扣率，还是 D 能得到一定的实惠。

究竟

第二部分

说明：61～80 题，每一个句子下面都有一个或两个空儿，请在 A、B、C、D 四个答案中
选择唯一恰当的填上（在答卷的字母上画一横道）

例如：

67. 我想不_____把钱包放在哪儿了。

    A. 出来   B. 过来   C. 上来   D. 起来

我们只能说"我想不起来把钱包放在哪儿了"，所以第 66 题唯一恰当的答案是 D，
你应该在答卷上找到号码 66，在字母 D 上画一横道，横道一定要画得粗一些，重
一些。

66. [A]   [B]   [C]   [■]

61. 他真是一个语言天才。经过不到两年的学习，就能说一_____流利的汉语。

    A. 句   B. 口   C. 段   D. 套

62. 从近几年来百姓关心的生活话题排行榜的变化，可以充分地说明百姓的关注点已经逐渐
_____个人行为转向公众行为，这正是社会进步的体现。

    A. 向   B. 把   C. 由   D. 地

63. 这场比赛，主队在全场观众的助威声中_____进球，以大比分战胜了对手。

    A. 一直   B. 连连   C. 一连   D. 常常

64. 专家认为，部分大学毕业生择业过_____功利化，甚至不惜为此放弃事业的发展机会。

    A. 与   B. 于   C. 之   D. 从

65. 北京小吃花样繁多，制法各异，_____数清究竟有多少种。

    A. 困难   B. 难以   C. 难于   D. 难得

66. 这部电影太让人感动了，我_____想看一遍。

    A. 再   B. 另   C. 又   D. 还

67. 他这个人真固执，_____不相信中医能治病。

    A. 终于   B. 开始   C. 始终   D. 最后

68. 听说这个牌子的化妆品特别好，我_____也买了一套试试。

    A. 所以   B. 而且   C. 于是   D. 还是

69. 你以为世界上的事_____你想要就能得到吗？

    A. 只是   B. 只要   C. 只有   D. 不只

70. 最近一段时间我有点儿失眠，晚上_____也睡不着。

    A. 怎么   B. 多么   C. 什么   D. 那么

71. _____决定了就尽力去做吧，我会全力支持你的。

    A. 虽然   B. 既然   C. 然而   D. 而且

72. 这么冷的天，我晾在阳台上的衣服都冻_____冰了。

    A. 起来   B. 到   C. 着   D. 上

73. 在新疆工作的十年中，虽然困难重重，但我_____没有想过要放弃，而是努力把工作做好。

    A. 从来   B. 本来   C. 后来   D. 原来

74. 我是想跟你说点儿什么事儿_____，可一转眼就忘了。

    A. 着   B. 来着   C. 了   D. 过

75. _____意大利的游客朱莉娅女士已荣幸地被中国旅游局确认为第 300 万名海外来京旅游者。

    A. 来到   B. 从来   C. 来自   D. 到来

76. _____大家的共同努力_____，我们的生态环境得到了很大的改善。

    A. 在……上   B. 在……后   C. 在……下   D. 从……中

77. 过去，母亲嫌麻烦，总是把苹果洗一洗连皮吃。自从家里来了保姆之后，她才吃_____了削皮的苹果。

    A. 上   B. 过   C. 下   D. 好

78. 中国处于亚健康状态的人高_____60％以上。

    A. 至   B. 达到   C. 达   D. 到达

79. 我非常欣赏现在的小区模式，既有独立又有合作，又有空间可以_____一定距离，还有公共设施可以共享。

    A. 保存   B. 保留   C. 保护   D. 保持

80. 在这里工作，能学到更多知识。在这儿每天要接待几千名顾客，各种各样的人都有，这是在学校工作_____的。

    A. 比不了   B. 比不好   C. 比不下   D. 比不到

三、阅读理解

（50题，60分钟）

第一部分

说明：81～100题，每个句子下面都有一画线的词语，A、B、C、D四个答案是对这一词语的不同解释，请选择最接近该词语的一种解释（在答卷的字母上画一横道）。

例如：

89. 你怎么才来呀，我都等了半天了。

    A. 很长时间   B. 6个小时左右   C. 一天半   D. 一天

正确的答案是A，所以你应该在答卷上找到号码89，在字母A上画一道横道，横道一定要画得粗一些，重一些。

89. [▪]   [B]   [C]   [D]

81. 2008年的奥运会将为北京提供历史机遇。

    A. 机会   B. 使命   C. 条件   D. 未来

82. 跳橡皮筋是一项成本低廉、简单易行的户外活动。

    A. 低级   B. 便宜   C. 低档   D. 容易

83. 这么多年了，他会不会原谅我呢？说实话，我心里没底儿。

    A. 宽容   B. 没放弃   C. 没把握   D. 空虚

84. 他酷爱打网球。

    A. 非常喜欢   B. 有些喜欢   C. 很不喜欢   D. 不太喜欢

85. 北极这种生态系统的生态循环极其脆弱。

    A. 其实   B. 特别   C. 真的   D. 有点儿

86. 味精能致癌的说法完全没有根据。

    A. 引起   B. 至于   C. 来到   D. 治疗

87. 在大学里，由于我学习成绩优异，因而赢得了班上女生的<u>青睐</u>。
    A. 轻视　　　　　　B. 嫉妒　　　　　　C. 尊重　　　　　　D. 喜爱

88. 西藏地处高原，空气<u>稀薄</u>。
    A. 重量轻　　　　　B. 密度小　　　　　C. 质量小　　　　　D. 水分小

89. 节能冰箱的推广可以使消费者在经济上得到十分<u>可观</u>的好处。
    A. 可以知道　　　　B. 非常大　　　　　C. 可以看见　　　　D. 不算大

90. 不要为自己的错误找<u>借口</u>，要勇于承认错误。
    A. 理由　　　　　　B. 方法　　　　　　C. 证据　　　　　　D. 原因

91. 你们都别<u>笑</u>我，到你们恋爱的时候，不会比我强多少。
    A. 笑声　　　　　　B. 笑话　　　　　　C. 开玩笑　　　　　D. 笑料

92. 乔丹是一个非常<u>出色</u>的篮球运动员。
    A. 厉害　　　　　　B. 普通　　　　　　C. 优秀　　　　　　D. 少见

93. 我平时没什么爱好，只是<u>偶尔</u>去爬爬山。
    A. 常常　　　　　　B. 不常　　　　　　C. 有时候　　　　　D. 有规律地

94. 他看起来已经五十<u>开外</u>了。
    A. 不到　　　　　　B. 开始　　　　　　C. 外面　　　　　　D. 以上

95. 快到春节了，妈妈总<u>念叨</u>，在外地求学的弟弟什么时候才能回家过节。
    A. 思念　　　　　　B. 说到　　　　　　C. 想念　　　　　　D. 啰嗦

96. 他从来不追名<u>逐</u>利，他认为最重要的是心灵的满足。
    A. 逐渐　　　　　　B. 收获　　　　　　C. 得到　　　　　　D. 追求

97. 现在<u>门面房</u>的租金都贵得很。
    A. 条件好的房子　　　　　　　　　　B. 很体面的房子
    C. 临街的房子　　　　　　　　　　　D. 有大门的房子

14

98. 他思路很清晰，两三句话，就能抓住问题的<u>要害</u>。
    A. 要求   B. 关键   C. 错误   D. 全部

99. 德国人的环保意识在世界上<u>首屈一指</u>。
    A. 排名第一   B. 很有名   C. 名气很大   D. 很先进

100. 今天<u>天公不作美</u>，我们只好呆在家里。
    A. 天空很美   B. 天气很好   C. 天空不美   D. 天气不好

3·3·3·3·3·3·3

第二部分

> 说明：101~130题，每段文字后都有若干个问题，每个问题都有 A、B、C、D 四个答案，请快速阅读并根据它的内容选择唯一恰当的答案（在答卷的字母上画一横道）。
>
> 例如：
>
> 101. 真是"有缘千里来相会"，能在这儿以这样的方式认识你，真是缘分。
>
> 101. 作者表达了什么心情？
>
>   A. 生气   B. 高兴   C. 伤心   D. 忧愁
>
> 正确答案是 B，所以你应该在答卷上找到号码 101，在字母 B 上画一横道，横道一定要画得粗一些，重一些。
>
> 107. [A]   [■]   [C]   [D]

101~102

    绝迹多年的人力黄包车，最近又出现在南京市夫子庙一带的街头。如今的黄包车与解放前相比，意义上有很大不同：它不再是单纯的代步工具，它还能满足乘客的好奇心理、怀旧心理，使人们更方便地在风景区、名胜古迹参观游览。如今的车夫们穿着统一的漂亮服装，个个知识丰富、通古博今。每到一个景点，车夫们都会主动热情地义务向游客讲解历史典故、风土人情，名人诗词背得滚瓜烂熟，令游客刮目相看，赞叹不已。

101. 问：以前的"黄包车"的主要用途是什么？

    A. 代步工具   B. 游览工具

    C. 满足乘客的好奇心   D. 供人观赏

102. 问：如今的车夫怎么样？

    A. 热情且好奇   B. 只会拉车

    C. 收费讲解历史典故   D. 知识丰富

103~104

    整体观念和辨证论治是中医的两大法宝。与西医偏重于局部不同，中医诊断偏重于整体。整体观念对西方人而言容易接受，辨证论治西方人就难以接受了。一般来讲，西医对同样的病症都会采用同样的治疗方法，而中医则认为，没有两个人是一样的，因此需要因人而治。

103. 关于中西医的不同下面哪种说法是错的？

    A. 中医偏重于整体   B. 中医重视辨证论治

    C. 西医偏重于局部   D. 西医重视辨证论治

104. "因人而治" 是什么意思？
    A. 根据人的不同特点进行不同的治疗   B. 因为得病而去治疗
    C. 根据不同的病进行不同的治疗   D. 人跟人的体质是一样的

105～107

    从心理角度来看，孩子在小学时注意力和兴趣主要集中在自身以外的外部世界上，而到了中学，他们开始把目光转向自己，从外貌、性格特点到内心世界，都要自我审视，在生活中则往往崇拜一些偶像，如体育明星、电影明星和歌星。小学时孩子对父母往往无话不谈、无事不说，心中的喜怒哀乐都显露在脸上，到了青少年时期，随着语言能力和认识能力的提高，控制自己情绪的能力也大大提高，孩子开始学会如何恰当地表达情绪和控制感情，做父母的如果忽视了孩子的这些生理变化，彼此之间感情就会疏远，产生矛盾。

105. 小学时孩子的兴趣集中在哪儿？
    A. 外部世界   B. 自我
    C. 内心世界   D. 明星

106. 到了青少年时期，孩子的性格会有什么变化？
    A. 越来越外向   B. 开始向父母诉说心事
    C. 脸上的表情更加丰富   D. 情绪不易外露

107. 说话人提醒父母什么？
    A. 应学会控制自己的情绪   B. 应留意孩子的变化
    C. 应和孩子保持一定的距离   D. 应提高自己的语言表达能力

108～110

    如果你认为女孩子只喜欢那些瘦男子，那你就错了。最新的研究表明，胖人比瘦人更容易获得幸福。因为胖人平和、脾气好，每个人都愿意和他交往，和他一起开怀大笑。据埃及一位心理学教授说，胖人不会引起太多人的注意，就更有安全感。他说，胖人占世界人口的25％，但其中只有2％的人面临感情危机。另外一项统计数字表明，胖人的离婚率仅为0.5％，而正常体重的人的离婚率却达8％。总的来说，胖人不易发怒，不惹人嫉妒，他们生活得非常安宁。另外，胖人的心理压力也比正常人要小。这位教授的研究指出，只有8％的胖人感觉心理压力重，但有30％以上的正常体重的人常会觉得不愉快。而且，胖人在与人交往中很快就能赢得他人的好感和信任，胖人爱笑，有同情心。胖人似乎还和幽默联系在一起。许多著名的笑星就是胖人，我们可以说，胖人比瘦人更容易获得幸福。

108. 下面哪种说法不符合短文内容？
    A. 人们都愿意和胖人交往   B. 胖人不易发怒，不惹人嫉妒
    C. 有感情危机的胖人较少   D. 胖人总会引起太多人的注意

109. 胖人的离婚率是多少？
    A. 0.5％
    B. 2％
    C. 8％
    D. 25％

110. 胖人比瘦人更容易获得幸福的原因是什么？
    A. 胖人不吸引人
    B. 胖人易发怒
    C. 胖人嫉妒人
    D. 胖人易赢得他人的信任

111～113

地球是由外部圈层和内部圈层两大部分构成的。外部圈层包括大气圈、水圈和生物圈；内部圈层包括地壳、地幔和地核三部分。地壳是内部圈层的最外层，由风化的土层和坚硬的岩石组成，所以地壳也可称为岩石圈，它只占地球体积的 0.5％。如果把地幔、地核比作蛋清和蛋黄，那地壳就是蛋壳。

地壳虽然很薄，但它上下层的物质结构并不相同。地壳的上部主要由密度较小、比重较轻的花岗岩组成，它的主要成分是硅、铝元素，因此，这一层又称为"硅铝层"。地壳的下部主要由密度较大、比重较重的玄武岩组成，它的主要成分是镁、铁、硅元素，所以这一层又称"硅镁层"。此外，在地壳的最上层，还有一些厚度不大的沉积岩、沉积变质岩和风化土，它们构成地壳的表皮。

地壳并不是静止不动或永久不变的。在漫长的地球历史中，沧海桑田的巨变时有发生。大陆漂移、板块运动、火山爆发等等都是地壳运动的表现形式。地壳还受到大气圈、水圈和生物圈的影响和侵蚀，形成各种不同形态和特征的地壳表面，其中与人类的活动关系最为密切的是土壤。

111. 地球的内部圈层包括什么？
    A. 风化的土层和坚硬的岩石
    B. 大气圈、水圈和生物圈
    C. 蛋清、蛋黄和蛋壳
    D. 地壳、地幔和地核

112. 组成地壳的物质从上到下依次是什么？
    A. 硅铝层、硅镁层、风化土
    B. 硅镁层、硅铝层、沉积岩
    C. 花岗岩、沉积岩、玄武岩
    D. 沉积岩、花岗岩、玄武岩

113. 没有提到的地壳运动的表现形式是哪一个？
    A. 大陆漂移
    B. 板块运动
    C. 地震
    D. 火山爆发

114～116

科学家原来估计人类基因数多达 14 万条，保守的估计也在 10 万条左右。可实验证明，人类的基因数只在 3 万至 4 万之间。估计和现实之间存在着这么大的差距，就连科学家自己也没预料到。

基因是什么？如果你钻进自己的细胞，再钻进细胞核，你能看到 23 对丝状或棒状物质，这是染色体，父母各给你 23 条。你传给后代的遗传物质"DNA"分子就在染色体上，如果把 46 个染色体上的 DNA 分子连起来，大约长 1.8 米。DNA 上有许多小片段，但只有携带遗传信息的小片段才是基因。它们控制各种各样的蛋白质，表达黑头发、黄皮肤、黑眼睛等人的性状。23 对染色体上的全部基因就叫基因组。

人的基因如此之少，人却如此高等复杂，这如何解释？人类基因组首席科学家柯林斯说，这说明人类在使用基因方面是很节约、很高效的，与其他物种相比达到了事半功倍的效果。科学家原来认为是一条基因负责合成一种蛋白质，但现在认为每条基因平均负责制造三种蛋白质。蛋白质是构成生物体活质的最重要部分。人之所以高等复杂，自然与人体内能分泌数量、种类繁多的蛋白质有关。柯林斯说，人类的策略不是靠"自我开发"新基因组来制造新蛋白质、获取新功能，而是善于通过重新编排或扩充已有可靠资源来达到"创新"目的。塞莱拉公司首席科学官文特尔则说，发现人类基因数这么少，其意义不同寻常，它改变了科学家原有的一种基因与一种疾病有关的观念。今后用于诊断疾病的基因检测将被蛋白质检测代替，因为后者将会更精确。

114. 科学家没预料到什么？

    A. 人类基因数难以数计   B. 人类的基因数低于预计

    C. 人类基因数超过保守估计   D. 人类的基因数可忽略不计

115. 什么叫基因？

    A. 23 对丝状物质   B. DNA 分子的小片段

    C. 23 对棒状物质   D. 携带遗传信息的 DNA 小片段

116. 为什么人的基因如此之少，人却如此高等复杂？

    A. 人类一条基因负责合成一种蛋白质   B. 蛋白质需要表达分泌数量

    C. 人类能不断产生新基因   D. 人类重新编排或扩充已有基因

117～120

各大商场都把打折促销活动当做主要的经营方式。消费者在消费时要把商家的谋略看清楚。

今天我们就一起分析一下打折促销现象。现在商家的打折方式虽然各有不同，可是，概括起来只有两种：第一种就是我们经常可以看到的全场八折、六折等促销方式，这类打折商家比较直接地让利于顾客，我们可以在购物时少从自己的钱包里拿钱出来。另外还有一种方式叫购物赠代金券。虽然看起来代金券的返还额度比较高，可是您为了把代金券花出去，还得增加支出。这两种打折方式各有利弊，商家虽然打着让利酬宾的口号，可是您不精心筹划的话可能反而会多花钱，还会造成浪费。

打折促销主要用于服装、鞋帽类商品。这类商品换季打折，已渐成风尚。这当然是由服装鞋帽季节性强、流行期短的特点决定的。这类打折商品多是没卖出去的存货，有些甚至就是过季商品。所以，在购买打折商品时，不能冲动。因为即使您买得便宜，可是穿不了几次，就会过时了。

当然如果我们好好筹算，打折商品还是有合适的东西。就拿品牌服装来说吧，它们的做工版型好，穿着也很舒适。因为价格高，所以，很多精明的女性消费者都在打折时购买自己早就喜欢的品牌服装。在这儿要提醒大家几点。首先在色彩方面，不要选目前流行的太鲜艳的衣物，而要选择黑、白、灰、棕、米色等中性色彩的衣物。因为中性色彩的服装容易搭配，而且不易过时。另外，选择打折的长裤要比上衣合算，因为裤装变化较小，流行周期比较长。

117. 关于买打折商品会造成浪费的原因没谈到哪一点？

    A. 买的是过季商品   B. 商场是假打折

    C. 买的是存货   D. 有的打折方式要增加支出

118. 打折促销为什么主要用于服装、鞋帽类商品？

    A. 流行期长   B. 利润高

    C. 季节性强   D. 需求量最大

119. 挑选打折服装时在色彩方面不要选哪些颜色？

    A. 黑色、棕色   B. 灰色、米色

    C. 白色、灰色   D. 鲜艳的

120. 关于打折哪种说法是对的？

    A. 用代金券会增加支出   B. 打折时买东西总能得到实惠

    C. 长裤打的折多   D. 打折时买的东西容易过时

121～125

今天谁也不怀疑，地铁要比电车、汽车舒适快捷。但是，地铁修建初期，反对者却比拥护者多得多。1860 年，英国首都地铁公司承担伦敦地铁修建工程。当时的伦敦，马车太多，堵塞了狭窄的马路，十字路口更是拥挤不堪。其实，修建地铁的想法不是凭空产生的。19 世纪后半叶，人们已经学会铺设铁路和修建地道。煤矿的矿井里也铺上了钢轨，上面可以行驶矿车，这就是地铁的雏形。修建工程刚开始，马车和其他地上交通工具的主人便出来阻挠。这是一场争夺乘客的战争。于是，首都地铁公司遇到了财政困难。1863 年，伦敦地铁终于开通，总长为 3.1 公里，沿途设几个车站。这是地地道道的地铁：火车在地道里行驶，有车厢、道岔、信号灯和蒸汽车头。刚开始的时候，伦敦市民坐地铁，主要是出于好奇。不过，地铁还是很快得到了"舒适、快捷"的评价。讲究实际的美国人 1868 年开始在纽约修建自己的地铁，而伦敦到 1870 年出现了第二条地铁，到 1884 年，这些铁路连接成环形线，车站达 27 个。1886 年伦敦地铁又有了新的突破：修建了环形线的支线，车站出现了自动电梯，

更重要的是有了电力牵引机车。继伦敦、纽约之后，1896 年布达佩斯、1898 年维也纳和 1899 年巴黎相继出现了地铁。

121. 最初为什么修建地铁？
    A. 出现了汽车
    B. 路太少了
    C. 马路太狭窄了
    D. 道路堵塞严重

122. 当时修建地铁的想法是在什么样的条件下产生的？
    A. 首都地铁公司财政力量雄厚
    B. 经济的大发展
    C. 想坐地铁的乘客很多
    D. 煤矿井里出现地铁的雏形

123. 地上交通工具的主人对修建地铁持什么态度？
    A. 赞成
    B. 中立
    C. 反对
    D. 无所谓

124. 第一条地铁是哪一年开通的？
    A. 1860 年
    B. 1863 年
    C. 1870 年
    D. 1884 年

125. 哪个城市第二个修建地铁？
    A. 伦敦
    B. 纽约
    C. 布达佩斯
    D. 维也纳

126～130

　　1978 年中国电话普及率仅为 0.38％，尚不足当时全世界普及率的 10％，长途电信更薄弱，全国 90％以上的电话线路是架空明线，不仅数量少而且通到的地区少。北京长途电话超过一个小时接通的占 15％左右，有些地区长途电话要一两天才能接通，很多地方根本不通长途电话。国际电话更是紧张，有些外国人宁肯乘飞机到香港打电话。但是，这种局面已经一去不复返了。现在全国大部分地区已建成城乡一体的程控电话网，光缆线路由 1978 年的空白增长到 1997 年的 15.1 万公里，长途电话交换机容量由 1.1 万路端增长到 436.8 万路端，增长了 390 倍；长话电路由 1.9 万路增长到 114.6 万路，增长了 60 多倍。20 多年前，北京电信移动电话为 0，从 1984 年被称为"大哥大"的移动电话首次亮相以来，10 多年间，北京电信移动网已拥有 100 万个用户，而买手机的人仍然源源不断。

126. 1978 年中国电话占世界的比例是多少？
    A. 高于 0.38％
    B. 低于 10％
    C. 超过 15％
    D. 接近 90％

127. 1978 年以前中国的电信：
    A. 电话线路很少是架空明线
    B. 电话线路通到的地区比较多
    C. 长途电话接通所需时间长
    D. 电话业务不会发生阻塞

128. 1997 年中国的光缆线路有多长？
     A. 1.9 万公里　　　　　　　　B. 15.1 万公里
     C. 114.6 万公里　　　　　　　D. 436.8 万公里

129. 长话电路 1978 年以来增长了多少倍？
     A. 15 倍　　　　　　　　　　B. 60 多倍
     C. 100 多倍　　　　　　　　D. 390 多倍

130. 移动电话是什么时候第一次出现在中国的？
     A. 1978 年　　　　　　　　　B. 1984 年
     C. 1997 年　　　　　　　　　D. 1998 年

四、综合填空

（40题，30分钟）

第一部分

> 说明：131～154题，每段文字中都有若干个空儿（空儿中有题目序号），每个空儿都有
> A、B、C、D四个词语，请根据上下文的意思选择唯一恰当的词语（在答卷上的
> 字母上画一横道）。

131～140

中国人的热情好客举世无双，我 __131__ 一个外国人，有时会很不习惯，特别是到中国人家里做客的时候。但是时间长了，我也 __132__ 了一些办法。到中国朋友家里，__133__ 寒暄之后，就会开始吃饭。朋友虽然说："都是便饭，请随便。"__134__，给我摆了满满一大桌子菜。这些菜对我来说都是美味佳肴，看着让人眼晕。为了 __135__ 吃撑着、喝醉了，我想出了几个办法：第一，我尽量 __136__ 慢吃的速度，把菜留在小碟上。主人看我还没有吃完，就不夹菜了；第二，为了吃慢一点，我主动和主人谈话，请教主人一些问题，__137__ 菜名、做菜的方法等，这既能让主人夹菜的速度慢一点，还能够 __138__ 一些关于中国饮食文化的知识。第三，我有时 __139__ 也像主人一样，给他夹菜、倒酒，这就 __140__ 着我已经深深了解了中国文化。

131. A. 为了　　　　B. 作为　　　　C. 当成　　　　D. 当作

132. A. 想出　　　　B. 想起　　　　C. 想来想去　　D. 想来

133. A. 一次　　　　B. 一下　　　　C. 一时　　　　D. 一番

134. A. 其实　　　　B. 实在　　　　C. 果然　　　　D. 尤其

135. A. 防止　　　　B. 阻止　　　　C. 防护　　　　D. 停止

136. A. 拿　　　　　B. 打　　　　　C. 用　　　　　D. 放

137. A. 例子　　　　B. 举例　　　　C. 比如　　　　D. 假如

138. A. 尝试　　　　B. 了解　　　　C. 理解　　　　D. 解释

139. A. 至于　　　　B. 甚至　　　　C. 还有　　　　D. 还是

140. A. 意味　　　　B. 意义　　　　C. 意思　　　　D. 思考

141～148

__141__ 20元面额的人民币，一方面是为了和国际接轨而对人民币面额进行结构

23

　　__142__；__143__一方面则是考虑了居民、工商企业以及境外持有者的使用方便。就货币本身而言，1、2、5、10 的进制是最佳组合，既方便经济，又__144__人们的使用习惯。在交易时，这样面额的组合最多使用不__145__三张，比如，3 元是 1＋2 用两张、4 元是 2＋2 用两张。之前我国的元、角、分都是用这种进制。只有 10 元、50 元、100 元中间缺 20 元这一档。如果交易需要 40 元，就要用 4 张 10 元__146__用 50 元再找 10 元，而没有 50 元时就要用 100 元的，找钱的张数太多，造成一定__147__上的不便。现在有了 20 元面额的人民币就__148__了这些问题。

141. A. 发明　　　　B. 发现　　　　C. 发行　　　　D. 出版
142. A. 调整　　　　B. 整理　　　　C. 调节　　　　D. 调理
143. A. 另　　　　　B. 其他　　　　C. 别的　　　　D. 还是
144. A. 合适　　　　B. 适合　　　　C. 符合　　　　D. 适当
145. A. 超过　　　　B. 超越　　　　C. 通过　　　　D. 越过
146. A. 还是　　　　B. 还有　　　　C. 或者　　　　D. 也是
147. A. 程度　　　　B. 范围　　　　C. 情况　　　　D. 时候
148. A. 解除　　　　B. 解决　　　　C. 除掉　　　　D. 克服

149～152

　　今年，北京市人民政府决定__149__款 12 亿元人民币建设首都博物馆新馆，这为发展北京博物馆事业、__150__北京地区博物馆整体形象提供了一个千载难逢的契机。北京博物馆如何__151__自己综合性强、表现力强的优势，如何发展自身，成为__152__到博物馆盛衰兴亡的大问题。

149. A. 拨　　　　　B. 拿　　　　　C. 取　　　　　D. 分
150. A. 变化　　　　B. 改掉　　　　C. 改变　　　　D. 变成
151. A. 发挥　　　　B. 发现　　　　C. 发展　　　　D. 发生
152. A. 联系　　　　B. 关联　　　　C. 关系　　　　D. 关于

153～154

　　中国民间传统节日很多，其中较大的节日有春节、元宵节、端午节、中秋节等。这些节日多数__153__于农事活动，__154__鲜明的农业文化特色。

153. A. 开始　　　　B. 起源　　　　C. 原因　　　　D. 起头
154. A. 拥有　　　　B. 享有　　　　C. 占有　　　　D. 具有

4·4·4·4·4·4·4

第二部分

> 说明：155～170题，每段文字中都有若干个空儿（空儿中有题目序号），请根据上下文的意思在答卷上的每一个空格中填写一个恰当的汉字。（在答卷的字母上画一横道）。

155～160

目前全国人均期___155___寿命从解放前的35岁提高到了现在的71岁。全国新生儿死亡率从新中国建立之初的20％下___156___到3.31％，低于世界和发展中国家的平均___157___平。医疗机构数量也从解放初期的3670个___158___至31万个。三级医疗预防保健网___159___盖了广大农村，使9亿农民的身体健康得到了有效的___160___障。

161～162

最近，越来越多的狗呀、猫呀都享受着人的___161___遇，大___162___大样地坐起了公共汽车，尽管这是不允许的。

163～170

研究人员认为，由于技术尚不成___163___，克隆人类应该缓行。克隆人类的打算是危险和不___164___责任的，他们没有将克隆动物中遇到的问题考虑在___165___。尽管克隆动物现在很普___166___，但它还是一个很困难的___167___程。目前克隆技术还很不完___168___。克隆人类的___169___果很危险，更不要说伦理道___170___方面的问题了。

答案

一、听力理解

1. D	2. B	3. A	4. C	5. A	6. D	7. C	8. A	9. D	10. B
11. C	12. A	13. D	14. D	15. B					
16. A	17. D	18. B	19. C	20. C	21. B	22. C	23. D	24. C	25. B
26. A	27. D	28. D	29. C	30. D	31. D	32. D	33. B	34. C	35. A
36. C	37. A	38. D	39. C	40. B	41. C	42. C	43. A	44. A	45. B
46. A	47. B	48. D	49. C	50. D					

二、语法结构

51. C	52. C	53. C	54. D	55. B	56. A	57. D	58. B	59. A	60. B
61. B	62. C	63. B	64. B	65. B	66. D	67. C	68. C	69. B	70. A
71. B	72. D	73. A	74. B	75. C	76. C	77. A	78. C	79. D	80. A

三、阅读理解

81. A	82. B	83. C	84. A	85. B	86. A	87. D	88. B	89. B	90. A
91. B	92. C	93. C	94. D	95. B	96. D	97. C	98. B	99. A	100. D
101. A	102. D	103. D	104. A	105. A	106. D	107. D	108. D	109. D	110. D
111. D	112. D	113. C	114. B	115. D	116. D	117. B	118. C	119. D	120. D
121. D	122. D	123. C	124. B	125. B	126. B	127. C	128. B	129. B	130. B

四、综合填空

131. B	132. A	133. D	134. A	135. A	136. D	137. C	138. D	139. B	140. A
141. C	142. A	143. A	144. C	145. A	146. C	147. A	148. B	149. A	150. C
151. A	152. C	153. B	154. D						

155. 望	156. 降	157. 水	158. 增	159. 覆	160. 保	161. 待	162. 模	163. 熟
164. 负	165. 内	166. 遍	167. 过	168. 善	169. 后	170. 德		

听力理解录音文本

第一部分

1. 我姐姐都工作五六年了，终身大事还没解决，我妈可真替她着急。
   问：妈妈在为什么事担心？

2. 唉，一出门就堵车，十几分钟的路，走了一个多小时，别提多急人了！
   问：说话人是什么样的心情？

3. 各位旅客，列车运行前方就要到达西安车站了，有在西安车站下车的旅客，请带好自己的行李、物品，准备下车……
   问：在什么地方能听到这段广播？

4. 咱们开开窗户吧，我想抽支烟，您不介意吧？
   问：说话人是什么语气？

5. 他们宿舍共有四个人，一个山东的，一个四川的，一个内蒙的，还有一个家在东北。虽然他们的习惯各有不同，但是，他们相处得很融洽。
   问：他们宿舍的人都来自哪儿？

6. 没有哪个时代比当今这个时代更重视教育。
   问：这句话的意思是什么？

7. 最近一段时间他们两人的婚姻亮起了红灯。
   问：现在他们两人关系如何？

8. 我说呀，这次的集体活动她要是不来才怪呢！
   问：这句话的意思是什么？

9. 现在国产家用电器的质量都已过关，价钱又合理，所以销量不错。
   问：这句话的主要内容是什么？

10. 这是你儿子吗？上次见面我记得才到我腰这儿这么高，转眼就成了大小伙子了！
    问：说话人的意思是什么？

11. 小高有病住院了，他的朋友们可真够朋友，跑前跑后的，帮了不少忙。
    问：说话人认为小高的朋友们怎么样？

12. 我总是劝他不要沉迷于电子游戏了，抓紧时间干点正事，可他就是听不进去！
    问：这句话的意思是什么？

13. 北京太大了，不说别的，光出一趟门，打车就得二三十块钱。坐公共汽车吧，太浪费时
    间，至少也得一两个小时。
    问：说话人对什么表示不满？

14. 在冰冷的水泥地上练基本功，一坐就是四个小时，一般人谁也吃不消。
    问：这句话是什么意思？

15. 你看看，现在骑自行车的人，一点儿也不遵守交通规则。可一旦发生什么事，不管是不
    是我们这些开车的人的原因，都得承担责任。
    问：说话人是什么人？

第二部分

16. 男：芳芳，听说你要出国进修了。恭喜你啊！
    女：这都是没影儿的事儿。
    问：芳芳在表示什么？

17. 男：元元，这件红衣服漂亮极了！你身材好，皮肤白，穿上一定好看。
    女：好是好，可是太鲜艳了，穿上跟新娘子似的。
    问：元元为什么不买这件衣服？

18. 男：现在的孩子真幸福啊，跟小皇帝似的。
    女：幸福什么啊，他们的压力也不小。小小的年纪，每天要学这学那。
    问：女的认为现在的孩子生活怎么样？

19. 男：我的钥匙怎么找不着了，我记得清清楚楚，我就放在包里了。
    女：你再找找，在不在衣服兜里。这不，在你的手里拿着呢！
    问：那个男人的钥匙在哪儿？

20. 男：要是我妻子不喜欢逛街该多好啊！
    女：那怎么可能，女人要是不喜欢逛街，还是女人吗？
    问：女的是什么意思？

21. 女：老李，由于这次出差时间太紧，就不去你家了。

男：那怎么行，你很少来上海，我去北京也不容易。这是个难得的机会。我们五六年没见面了，一定要聚一聚。

问：他们现在在哪儿？

22. 女：周工，您儿子长得真像您，又高又帅。听说还考上了清华大学。真让人羡慕。

男：陈老师，您的女儿才好呢。人漂亮不说，还是个博士呢。

问：他们在做什么？

23. 男：你们的旅游计划还没有定下来吗？

女：还没有，今天开会讨论这个问题，这个说地点不理想，那个说时间不合适，大家很难形成一致的意见。

问：他们的计划为什么没定下来？

24. 女：王师傅，恭祝乔迁之喜！

男：谢谢。我工作了一辈子，儿子也都快要结婚了，才等到今天。

问：王师傅有什么喜事？

25. 男：你做什么事都不太考虑别人的想法，造成你在工作上遇到了困难。你得改改了。

女：你说得有道理，可话又说回来，这是我的性格，改不了。

问：女的态度如何？

26. 女：老王，现在你们机关上班还是每天一杯茶、一张报纸吗？

男：你说的那是几年前的事，现在我们也有竞争，不比你们公司轻松。

问：女的在什么地方工作？

27. 男：妈妈，我能不能看一会儿电视？

女：不行，除非你把作业做完，而且也只能看一个小时。

问：妈妈是什么意思？

28. 女：这个通知怎么没有人告诉我呢？

男：抱歉，要怪就怪我，我今天一直没看到你，后来因为太忙，又忘了给你打电话了。

问：第二个人在做什么？

29. 男：你别学艺术，还是学医吧，那样将来更有前途，像你哥哥现在就挺不错的。

女：他是他，我是我。

问：女的是什么意思？

30. 男：你爸爸脾气很好吧，我看他是个体贴的父亲。

女：是个好父亲，可就是发起脾气来，让人受不了。

问：那个女人的父亲怎么样？

31. 男：老张这几天跑来跑去的，火气还挺大，这是怎么了？
　　女：他花了三千多块钱买了一个空调，却老出毛病。他去找商场，商场不给退，说卖空
　　　　调的公司是租他们商场的地方，商场不该负责，可这家公司现在已经倒闭了，你想
　　　　老张火气能不大吗？
　　问：老张遇到了什么问题？

32. 男：我认为，这种销售方式不太合适。
　　女：有什么不合适的？
　　男：虽然公司目前取得了一些效益，可从长远来看，这种做法将影响公司的整体收益，
　　　　不利于公司的长期发展。
　　问：男的为什么不太赞成这种销售方式？

33. 男：你知道吗，水价又要涨了，而且要涨很多。
　　女：我听说了。不过，从环保的角度来看，早就该这样了。
　　问：对涨价女的是什么态度？

34. 女：我真想现在到欧洲去旅行，去伦敦、巴黎、维也纳……那该多好啊！
　　男：别做梦了，现在去，也太不切合实际吧？
　　问：男的是什么意思？

35. 男：你养了这么多金鱼，你最喜欢哪条？
　　女：这些金鱼我都喜欢，它们都很可爱，你看，那条金黄的、红的，多有意思啊。不过，
　　　　我最喜欢的要数那条黑的。
　　问：女的最喜欢哪条金鱼？

第三部分

36～37 是根据下面一段对话：

男：喂，是孙燕吧，我是刘刚。
女：刘刚，是你呀！上星期我跟王倩聊天时还说呢，不知道你这几年去哪儿了？你上学时不
　　就说要出国留学吗？你现在人在哪儿？
男：在北京。我刚刚办好了去加拿大留学的手续。
女：那你什么时候走？走之前我们再聚一下，为你送行。
男：那太好了。是后天下午的飞机。
女：我这就通知在北京的同学，明天晚上七点到我家来聚一聚。
男：我们这么多人去你家不太方便吧，还是订个饭店吧。
女：那好吧。明天见！
36. 他们是什么关系？
37. 他们准备在哪儿见面？

38～41 是根据下面一段话：

人们都说西方发达国家的生活节奏很快，但到底快到什么程度呢？

科学家做了一个测试，结果显示，像加拿大那样一个高度发达的国家，其国民的生活步调竟然与慢条斯理的南美人相仿。而号称世界经济强国的美国和日本，生活节奏也没有西欧国家快，这的确令人感到意外。

科学家在做这项测试时，依据的三个标准是：走路速度、工作速度和各国主要城市街头时钟的精确度。其中走路速度是测量人们在工作时间内走完 18 米需要多少时间；工作速度是以邮局工作人员售一张邮票需要多少时间为标准；至于公共场所时钟准确与否，则能反映出该国百姓的时间观念。

这项研究共涉及 31 个国家。结果表明，加拿大排名第十七位，属于生活节奏较缓慢的国家，仅比第三世界国家略好一点。在加拿大选中的测试城市是多伦多，虽然在走路速度上多伦多要比世界平均速度快，名列第十一，但是在另外两个方面则低于平均数，公共场所时钟的准确率位居第二十二，卖邮票的员工需要 3.5 秒才能卖出一张邮票，名列第三十一。最让人意外的是西欧国家的生活节奏普遍比美国、加拿大及日本要快。

生活节奏慢的八个国家都是亚洲、非洲和拉丁美洲的欠发达国家，其中以墨西哥最慢。墨西哥人常挂在嘴边的一句话是：给时间一点时间。文莱人更绝，他们每天起床后的第一句话不是"今天会有什么事"，而是"今天不会发生的是什么事"。巴西人的时间观念也很有特点，当地人赴宴在约定的两个小时之内主人都很愿意等候而不开席。

38. 这段话认为什么可以反映一国国民的时间观念？

39. 多伦多街头时钟准确度居世界第几位？

40. "给时间一点时间"是哪国人常说的？

41. 最让人感到意外的是什么？

42～45 根据下面一段话：

我家附近有一个熟肉铺，有时我到铺里买烤猪肉之类的食品，带回家当午饭。我从来不用铺子里给的纸盒和塑料袋，而总是拿着一个方塑料盒去买食品，这样回到家就不用再把盒子里的食品腾到碟子里。一天，我让老板娘给我割了一块肉。她微笑着对我说："七块两毛五。"当我拿出钱包取钱时，她用赞许的语气说："给七块钱吧，两毛五就算了。我想鼓励人们增强保护环境的意识，也希望每个人都能像你这样。"像学生得到了校长的表扬一样，我高兴得发狂，并且我得到了一份小小的环境保护奖——她给了我两角五分的回扣。回到家，我忍不住向人们夸耀我得到的这份奖金。我向别人讲了又讲。家人对我的行为都不理解，两角五分算什么啊！可是在我看来，现在大家都在讲热爱祖国，这种热爱的具体表现是节约能源、减少生活垃圾、不污染环境。在我们所有污染环境的过错中，最容易避免的就是塑料袋。我小的时候，大人们总是带着手工编织的竹篓上街买东西，豆腐和肉都包在绿色的荷叶里。它们最后都回到大地母亲的怀抱里。可是现在我们用的塑料袋和过去的包装物是多么不同啊。这是我上街买东西带塑料盒的原因。那两角五分的奖金，在我一生中是最宝贵的一次奖励。

42. 谈话中的"我"买东西的时候用什么装？

43. 老板娘给了"我"多少回扣？

44. 得到奖金后，"我"是什么感觉？

45. "我"认为，热爱祖国的表现不包括什么？

46～50 是根据下面一段话：

当人们对王府井商业街上林林总总的综合商厦应接不暇时，早有人对王府井的综合商厦密度过高提出了质疑。现在这条街上综合性百货商场占 80.5％，而社会服务业只占 7％，休闲娱乐设施明显不足。而国外一些知名的商业街之所以长盛不衰，除了有著名的商店以及知名的商品品牌外，旅游、娱乐、休闲等多元化资源的开发是一个重要因素。

一些工作人员曾考察过法国的著名商业街香榭丽舍大街，发现那里不仅是购物天堂，更是娱乐、休闲和旅游的胜地。法国最著名的三家夜总会，香榭丽舍占其一，那里还有多家电影院，在香榭丽舍大街上排队看电影是一大景观。有专家认为，从长远来看，王府井大街也应向旅游、休闲、商业、餐饮多元化发展，仅突出商业是不够的。

有人曾比较王府井商业街与上海南京路，认为二者之间有惊人的相似之处：王府井南口到金鱼胡同长 810 米，南京路上的亮点要算是从第一百货公司到永安百货，也是 800 米左右；南京路到外滩 1500 米，王府井南口到隆福寺同样是 1500 米。考虑到人的体力，一些专家认为，商业街最佳长度是 800 米。王府井和南京路恰恰符合这一原则。但也有人指出，南京路之所以被称为"东方明珠"，主要是得益于那里有多姿多彩的娱乐、休闲设施，而那里的购物街只占不到 30％。

46. 王府井商业街的不足之处是什么？

47. 香榭丽舍大街的一大景观是什么？

48. 王府井的长远发展之路是什么？

49. 商业街的最佳长度是多少米？

50. 南京路的特点是什么？

HSK
考前模考（初、中级）

模拟试卷（二）

注　意　事　项

一、汉语水平考试（HSK）包括四项内容：

    （1）听力理解（50 题，约 35 分钟）

    （2）语法结构（30 题，20 分钟）

    （3）阅读理解（50 题，60 分钟）

    （4）综合填空（40 题，30 分钟）

    全部考试时间约需 145 分钟。

二、全部试题答案必须写在答卷上，不能写在本试卷上。多项选择题（1～154 题）都有四个供选择的答案，要求在答卷上画出代表正确答案的字母，每题只能画一横道，多画作废。如：[A] [B] [C] [■]。请考生注意，HSK 使用阅读机阅卷，横道一定要画得粗一些，重一些，否则阅读机难以识别。综合填空题第二部分（155～170 题），请在答卷上的空格中各填写一个恰当的汉字。

三、注意看懂题目的说明，严格按照说明的要求，在规定的时间内回答问题。听力理解试题，每个问题后空 15～20 秒的时间，以供选择答案。

四、严格遵守考场规则，听从主考人的指挥。考试结束后，必须把试卷和答卷留下，放在桌上。等监考人员回收、清点后，才能离场。

一、听力理解

（50题，约35分钟）

第一部分

说明：1～15题，这部分试题，都是一个人说一句话，第二个人根据这句话提一个问题，请你在四个书面答案中选择唯一恰当的答案。

例如：第6题，你听到：

第一个人说：现在差一刻十点。

第二个人问：现在几点了？

你在试卷上看到四个答案：

     A. 十点一刻   B. 十点   C. 十点四十五   D. 九点四十五

第6题唯一恰当的答案是D，你应在答卷上找到号码6，在字母D上画一道横道，横道一定要画得粗一些，重一些。

6. [A]   [B]   [C]   [■]

---

1. A. 爸爸不会同意你单独去旅游
   B. 爸爸的看法很准确
   C. 你单独去旅游很正确
   D. 爸爸同意你单独去旅游

2. A. 妈妈不得不后天来
   B. 明天我上课，不能去接妈妈
   C. 妈妈明天来
   D. 妈妈原来打算明天来

3. A. 我们不知道邮局开门晚，我们来早了
   B. 我们早就知道邮局开门晚，不用来这么早
   C. 我们不知道邮局几点开门，就早点来吧
   D. 要是邮局9点开门就好了，我们就来晚点

4. A. 你们明天必须交作业
   B. 你们明天不一定交作业
   C. 你们的作业明天能交就交
   D. 你们明天可以不交作业

5. A. 麦克考得很好
   B. 麦克学习很刻苦
   C. 麦克要是努力就一定会考好
   D. 麦克很努力，所以考得很好

6. A. 你总是让老人给你洗衣服，很不好意思
   B. 你不好意思让老人给你洗衣服
   C. 你不应该总是让老人给你洗衣服
   D. 说话人觉得这个老人不好

7. A. 这件衣服不贵

    B. 这件衣服 200 块钱，比较贵

    C. 这件衣服是在农贸市场买的，所以看上去很便宜

    D. 在农贸市场买比较贵

8. A. 他有病的时候起得晚

    B. 他每天都起得晚

    C. 他家离学校远

    D. 他不喜欢上学

9. A. "我"没赶上班车

    B. "我"差点赶上班车

    C. "我"赶上班车了

    D. "我"的表坏了

10. A. 我去过的国家中，这个最漂亮

    B. 我没去过漂亮的国家

    C. 这个国家我以前去过

    D. 我去过很多漂亮的国家

11. A. 他现在不在那儿工作了

    B. 他对那里的工作很熟悉了

    C. 他现在还在那儿工作

    D. 那里的工作很适合他

12. A. 我说过让你早点起

    B. 你没有迟到，因为你按我说的做了

    C. 因为我没说错，所以你听我的

    D. 因为你早起了 10 分钟，所以没迟到

13. A. 我很了解他

    B. 我遇到困难，他并没有帮助我

    C. 他很会说，可做得不好

    D. 他说话的声音很好听

14. A. 我在美国的一个地方玩过

    B. 美国的任何地方我都玩过

    C. 美国我都没玩过

    D. 美国只有一个地方我没玩过

15. A. 肯定不用穿羽绒服了

    B. 现在正在刮大风

    C. 这两天降温了

    D. 过几天可能会很冷

第二部分

说明：16～35题，这部分试题，都是两个人的简短对话，第三个人根据对话提出一个问
题，请你在四个书面答案中选择唯一恰当的答案。

例如：第18题，你听到：

女的说：王老师，我有个问题，想问问您。

男的说：有什么问题尽管问，客气什么？

第三个人问：男的是什么意思？

你在试卷上看到四个答案：

　　　A. 你问吧　　B. 不要问　　C. 以后再问　　D. 七点再问

第18题唯一恰当的答案是 A，你应在答卷上找到号码 18，在字母 A 上画一道横
道，横道一定要画得粗一些，重一些。

18. [■]　　[B]　　[C]　　[D]

16. A. 女的没在阳台上
　　B. 男的穿着毛衣，没感冒
　　C. 男的劝女的别看书
　　D. 女的在阳台上看书呢

17. A. 表示自己很谦虚
　　B. 她儿子胆子小，不敢说
　　C. 她不敢肯定儿子是不是最好的
　　D. 她儿子不是最棒的

18. A. 毛毛是个小孩儿
　　B. 毛毛是天线宝宝
　　C. 毛毛喜欢说"二、三"
　　D. 毛毛现在至少能说七个字

19. A. 男的后悔今天去葡萄园了
　　B. 女的认为今天去葡萄园也不合适
　　C. 今天天气很好
　　D. 去葡萄园不好

20. A. 他们十一不会去五台山
　　B. 十一五台山很冷
　　C. 孩子他爸爸只能十一去五台山
　　D. 他们自己开车去五台山

21. A. 现在 7 点多了
　　B. 那个钟快了
　　C. 现在不到 1 点
　　D. 现在 1 点多了

22. A. 动物园
    B. 车上
    C. 车站
    D. 马路上

23. A. 女的在买书
    B. 对话发生在图书馆
    C. 女的应该交 100 块钱
    D. 那本书不贵

24. A. 他们单位有一个人发了床单
    B. 他们家有小孩
    C. 床单他们不适合用
    D. 床单的颜色太浅

25. A. 女的不知道男的做过的家务事
    B. 女的在埋怨男的
    C. 男的在说谎
    D. 女的嫌男的在两个单位工作

26. A. 小高想买车
    B. 停车的车位不好解决
    C. 有车也未必快
    D. 现在很多路都堵车

27. A. 现在过年不再穿新衣服了
    B. 他们现在不怎么盼着过年了
    C. 现在平时也可以吃饺子
    D. 男的同意女的说的话

28. A. 妈妈觉得女儿不胖
    B. 女儿最近不漂亮
    C. 女儿最近减肥了
    D. 妈妈不同意女儿减肥

29. A. 男的想知道怎么向老同学交代
    B. 五年前的聚会男的去了
    C. 这次聚会男的去不了
    D. 明天的聚会男的是主席

30. A. 她知道天气凉了
    B. 她知道感冒的特别多
    C. 她知道给宝宝添加衣服
    D. 她很了解自己的孩子

31. A. 房子有点贵
    B. 离学校距离远
    C. 路上爱堵车
    D. 喜欢走着去学校

32. A. 没有来往
    B. 来往不多
    C. 说不上话
    D. 很熟

33. A. 女的早就喝过喜酒了
    B. 男的快结婚了
    C. 男的练好字以后就结婚
    D. 离结婚还早

34. A. 即使再注意，有时也会出错
    B. 这次考试他不太小心，出错了
    C. 出错的原因是题太难了
    D. 第二个人在埋怨出错的人

35. A. 板楼不如塔楼好
    B. 他买的塔楼不便宜
    C. 他买的板楼六千三一平米
    D. 塔楼比不上板楼

第三部分

说明：36～50题，这部分试题，你将听到几段简要的讲话或对话。每段话之后，你会听到若干个问题，请你在四个书面答案中选择唯一恰当的答案。

例如：第39～40题，你听到：

男：都八点了，你急急忙忙去哪儿啊？

女：我去买点菜。

男：你还没吃饭呢。

女：是啊。今天加班。刚回来。你在干吗？

男：刚吃完饭，出来散散步。

第三个人根据这段对话提出两个问题：

39. 他们在哪儿谈话？

你在试卷上看到四个答案：

A. 公共汽车上　　B. 饭馆　　C. 去市场的路上　　D. 女人家里

根据对话，第39题唯一恰当的答案是C，你应在答卷上找到号码39，在字母C上画一道横道，横道一定要画得粗一些，重一些。

39. [A]　　[B]　　[■]　　[D]

你又听到：

40. 男的在干什么？

你在试卷上看到四个答案：

A. 吃饭　　B. 散步　　C. 买菜　　D. 加班

根据对话，第40题唯一恰当的答案是B，你应在答卷上找到号码40，在字母B上画一道横道，横道一定要画得粗一些，重一些。

40. [A]　　[■]　　[C]　　[D]

36. A. 家长
　　B. 老师
　　C. 小学生
　　D. 专家

37. A. 希望孩子考大学
　　B. 希望孩子什么都是最好的
　　C. 希望孩子学习好
　　D. 希望孩子其他方面好

38. A. 访谈对象的烦恼
    B. 访谈对象的家长
    C. 访谈对象的生活
    D. 访谈对象的学习

39. A. "我"
    B. 那个同学
    C. 同学与那个老人
    D. 看门老人

40. A. 他学习很努力
    B. 为了节省自己家的电
    C. 喜欢与老人做伴
    D. 他喜欢在学校学习

41. A. 11：00
    B. 所有学生走了以后
    C. 11：00 之后
    D. 10：00

42. A. 因为他学习吃力
    B. 因为他被感动了
    C. 因为老大爷去世了
    D. 因为他家不富裕

43. A. 我们许多人都被这个故事感动得哭了
    B. 那个老大爷不知道学校关门的时间
    C. 我的同学有时在学校学习一夜
    D. 老大爷累病了

44. A. 英语
    B. 广告业务
    C. 穿戴仪表
    D. 诚实的品格

45. A. 贝克的女儿被一个中国人救了
    B. 贝克没有对"我"进行考试
    C. 贝克说的故事是假的
    D. 贝克找到了救他女儿的人

46. A. 他是著名的企业家
    B. 他爱说谎话
    C. 他认出我是他要找的人
    D. 他感觉我记忆力不好

47. A. 在选择中去掉不合适的
    B. 淘气
    C. 找不到
    D. 掉进水里

48. A. 体育课是我最头疼的课程
    B. 最后一个弯道的 100 米比前 700 米还长
    C. 只有善始善终，才有可能成功
    D. 我至今不明白"行百里者半九十"的意思

49. A. 跑不动了
    B. 不想跑了
    C. 跑不快了
    D. 病了

50. A. 100 里
    B. 90 里
    C. 700 米
    D. 20 几米

二、语法结构

（30题，20分钟）

第一部分

说明：51～60题，在每一个句子下面都有一个指定词语，句中 A、B、C、D 是供选择的四个不同位置，请判断这一词语放在句子中哪个位置上恰当。

例如：

56. 他们 A 还 B 决定 C 暑假 D 去不去上海旅行。

　　　　　　　　没有

"没有"只有放在句子 B 的位置上，使全句变为"我们还没有决定去不去上海旅游。"才合乎语法。所以第 56 题唯一恰当的答案是 B。你应该在答卷上找到号码 56，在字母 B 上画一横道，横道一定要画得粗一些，重一些。

56. [A]　　[■]　　[C]　　[D]

51～60

51. 经过 A 一个暑假 B 的刻苦锻炼 C，他身体强壮 D 许多。

　　　　　　　　　　　　　　了

52. 没听他 A 说完，我 B 被他感动了，我觉得 C 作为儿子，他 D 是孝顺的。

　　　　　　就

53. 他买 A 那辆永久牌 B 自行车比你 C 这辆好 D 多了。

　　　　　　　　的

54. 上 A 研究生的时候，我曾经跟同屋一块儿去 B 南京 C 旅游 D。

　　　　　　　　　　　　　　　　　过

55. 下班后，我经常看见 A 他一个人在 B 办公室啃 C 冷馒头工作 D。

　　　　　　　　　　　　　　着

56. 来 A 中国 B 以前，他从来没有看 C 中国电影 D。

　　　　　　　　过

57. "我们 A 太累了！请家长和老师们 B 把分数 C 看得 D 太重，好吗？"

　　　　　　　　　　　　别

58. 大自然的 A 规律 B 是宇宙间任何力量 C 不能 D 改变的。

　　　　　　　　都

40

59. 我从来 A 不知道一份礼物 B 还会 C 如此 D 严重地伤害一个人的自尊心。
　　　　　　　竟然

60. A 他 B 打量了我 C 一会儿，只轻轻说了 D 一句话："你跟我想象的一样。"
　　　　　　上下

第二部分

说明：61～80题，每一个句子下面都有一个或两个空儿，请在 A、B、C、D 四个答案中
选择惟一恰当的填上（在答卷的字母上画一横道）
例如：

67. 我想不_____把钱包放在哪儿了。

    A. 出来   B. 过来   C. 上来   D. 起来

我们只能说"我想不起来把钱包放在哪儿了"，所以第 66 题唯一恰当的答案是 D，
你应该在答卷上找到号码 66，在字母 D 上画一横道，横道一定要画得粗一些，重
一些。

66. ［A］   ［B］   ［C］   ［■］

61～80 题

61. 他觉得怪不好意思的是：那么多人都会这道题，_____他不会。

    A. 却   B. 而   C. 而且   D. 反而

62. 儿子不愿意跟我们一起去旅游了。他长大了，开始寻求独立了。我很高兴，但心里
_____也有些失落。

    A. 很多   B. 很少   C. 多少   D. 多么

63. 今天在楼道口看到一_____寻狗启事，说的是有人把狗丢了，谁看见了请通知主人。

    A. 件   B. 只   C. 桩   D. 则

64. 聚会结束了，学生们都离开了校园，只剩下他还站在那里，迟迟不_____离开。

    A. 会   B. 能   C. 肯   D. 爱

65. 他没有让妈妈失望，_____全班第一名的成绩毕业了。

    A. 用   B. 因为   C. 以   D. 凭借

66. 下岗以后，他搅尽脑汁，终于想_____了一个谋生的办法。

    A. 起   B. 出   C. 上   D. 成

67. 发明于_____个世纪的塑料袋、塑料包装纸、塑料饮料瓶等称得上是最"糟糕"的发明。
    A. 下　　　　　　　B. 前　　　　　　　C. 上　　　　　　　D. 过去

68. 他的东西都喜欢_____墙上挂，屋子里显得特别不整齐。
    A. 朝向　　　　　　B. 向　　　　　　　C. 靠　　　　　　　D. 往

69. 你帮我复习了半天功课，_____能连饭也不吃就走呢？
    A. 怎么　　　　　　B. 什么　　　　　　C. 为什么　　　　　D. 怎么样

70. _____受到冰雹的影响，今年农产品的产量会下降，农民的收入也会减少。
    A. 为　　　　　　　B. 为了　　　　　　C. 在　　　　　　　D. 由于

71. 再过一个月_____考试了，我不能跟你一起去旅游了。
    A. 快　　　　　　　B. 快要　　　　　　C. 就要　　　　　　D. 会

72. 天气预报说今天天气转暖，可我还是觉得_____冷。
    A. 比较　　　　　　B. 稍微　　　　　　C. 一点　　　　　　D. 更

73. 他非常勤快，在家里_____帮妈妈洗菜做饭，_____帮哥哥嫂子照看孩子。
    A. 不是……而是　　B. 是……或者是　　C. 不是……就是　　D. 是……还是

74. 他是昨天刚调来_____，这件事他怎么会知道呢？
    A. 的　　　　　　　B. 过　　　　　　　C. 了　　　　　　　D. 吧

75. 一天，他背着画夹子偶然经过老人乞讨的那条街道，目光一下子被老人吸引_____了。
    A. 上　　　　　　　B. 住　　　　　　　C. 下　　　　　　　D. 上去

76. _____是我们这些普通人要读书上进，_____当今极为成功的人士也应该更多地以书为伴。
    A. 不仅……就是……　　　　　　　　B. 虽然……但是……
    C. 即使……连……　　　　　　　　　D. 不只……反而……

43

77. 他学汉语才学了两个月，去医院看病还_____。

    A. 说不清楚自己哪儿不舒服   B. 不说清楚自己哪儿不舒服

    C. 说不清楚自己什么不舒服   D. 不说清楚自己什么不舒服

78. 你_____介绍一下？

    A. 把你的学习方法给我们能不能   B. 给我们把你的学习方法能不能

    C. 能不能把你的学习方法给我们   D. 把你的学习方法能不能给我们

79. 昨天那场足球比赛是裁判_____，判错了。

    A. 看没清楚   B. 没看清楚   C. 看不清楚   D. 不看清楚

80. 时下考大学是很多学生的唯一出路，为了_____好大学，他们整天埋头书本，致使许多学生视力下降。

    A. 考得上   B. 考上   C. 考出   D. 考了

三、阅读理解

（50题，60分钟）

第一部分

说明：81～100题，每个句子下面都有一画线的词语，A、B、C、D四个答案是对这一词
语的不同解释，请选择最接近该词语的一种解释（在答卷的字母上画一横道）。
例如：

89. 你怎么才来呀，我都等了半天了。

    A. 很长时间   B. 6个小时左右   C. 一天半   D. 一天

正确的答案是A，所以你应该在答卷上找到号码89，在字母A上画一道横道，横
道一定要画得粗一些，重一些。

89. [■]   [B]   [C]   [D]

81～100

81. 西湖美丽的景色，不是用笔墨可以形容的。

    A. 工具   B. 笔和墨水   C. 钢笔   D. 文字

82. 一阵雨过后，山间的空气特别清新，偶尔几声鸟叫，让人好不愉快。

    A. 多么   B. 不很   C. 很不   D. 有点儿

83. 有一次，游览名山，朋友们都争先去爬，我懒得爬山，就在山脚下的寺庙里休息。

    A. 很懒   B. 身体不好   C. 没精打采地   D. 不愿意

84. 村里人好事儿，只要路上有打架吵嘴的，马上围上去，争着看。

    A. 令人高兴的事情   B. 喜欢管闲事   C. 发生了好事情   D. 总是出事

85. 在父亲的八个儿女中，我是最小的一个。邻居们亲切地叫我"老根子"。

    A. 指样子显得最老的孩子   B. 指最小的孩子

    C. 指人们最喜欢的孩子   D. 指年龄最大的孩子

45

86. 考试的那两个星期天天盼着考完，可现在真的考完了，没事干了，又觉得怪没劲的。
    A. 奇怪没意思   B. 奇怪没力气   C. 很疲倦   D. 挺没意思

87. 他从小就有心眼，你怎么能跟他比呢！
    A. 眼睛很好   B. 很笨   C. 有心计   D. 心脏出问题了

88. 你千万不要为这些事情分心，一分心你的大学梦就算完了。
    A. 有病   B. 不专心   C. 努力不够   D. 钱不多

89. 买东西拆下来的纸盒子、旧报刊、旧塑料袋，妈妈都舍不得扔，总说"它们早晚用得着"，其实也许十年都用不着。
    A. 过去   B. 时间长   C. 时间短   D. 以后

90. 他跟女朋友吹了，倒是件好事，可以静下心来读读书了。
    A. 吹牛   B. 分手   C. 关系好   D. 说大话

91. 她既是我们的红娘，又是我结婚时的伴娘。
    A. 漂亮的姑娘   B. 穿红衣服的姑娘   C. 亲戚   D. 媒人

92. 电视剧《大宅门》播出以后，男主角一下子成了万众瞩目的对象。
    A. 轻松   B. 艰难   C. 一个下午   D. 时间短

93. 现在白领收入比较高，与之相对的，蓝领收入就低多了。
    A. 一般指爱干净的人   B. 一般指爱穿白衣服的人
    C. 一般指有地位的人   D. 一般指从事脑力劳动的职员

94. 唉，瞧人家的蜜月，我们那时候结婚简直没法说。
    A. 表达伤感或叹息的语气   B. 表达提醒别人注意的语气
    C. 表达愉快的语气   D. 表达命令的语气

95. 靠近东滩的一些乡镇酒店、旅馆的生意，因为观鸟游客的到来而火了起来。
    A. 生意好   B. 游客多   C. 风景好看   D. 饭菜好吃

96. 我儿子特别偏食，吃饭挑三拣四，不爱吃这不爱吃那的。
    A. 只喜欢吃肉类食物
    B. 吃得很少
    C. 只喜欢吃某几种食物
    D. 重视吃东西

97. 年纪越大耳朵越背，人的听力在 20 岁左右最灵敏，30 岁已经开始减退，过了 60 岁，听力减退 63.6％左右。
    A. 听觉灵敏　　　B. 衰老　　　C. 不好看　　　D. 听觉不灵敏

98. 由于利润可观，一批制药厂和保健品厂纷纷利用雪莲开发口服液、胶囊及饮料。
    A. 可以计算　　　B. 可以观赏　　　C. 好看　　　D. 比较高

99. 20 世纪 90 年代初，凯丽因为成功扮演了《渴望》中的刘慧芳而红透了大江南北。
    A. 长得漂亮　　　B. 美人　　　C. 受欢迎　　　D. 红颜色

100. 他的这些苦恼很少对别人说，但却一五一十地都告诉了阿建。
    A. 说话缓慢　　　B. 详细　　　C. 说话有条理　　　D. 很多

第二部分

说明：101～130题，每段文字后都有若干个问题，每个问题都有 A、B、C、D 四个答案，请快速阅读并根据它的内容选择惟一恰当的答案（在答卷的字母上画一横道）。

例如：

101. 真是"有缘千里来相会"，能在这儿以这样的方式认识你，真是缘分。

101. 作者表达了什么心情？

    A. 生气   B. 高兴   C. 伤心   D. 忧愁

正确答案是 B，所以你应该在答卷上找到号码 101，在字母 B 上画一横道，横道一定要画得粗一些，重一些。

107. [A]   [■]   [C]   [D]

101～103

国外某城市开设了租车自己驾驶旅游项目。当开车人开动汽车时，车内就会自动放一段录音："阁下，驾驶汽车时速不超过 30 英里，你就可以饱览本地的美丽景色；超过 60 英里，请到法院做客；超过 80 英里，欢迎光顾本地设备最新的急救医院；上了 100 英里，请君安息吧！"

101. 当地规定的开车最高时速是：

    A. 30 英里   B. 60 英里   C. 80 英里   D. 100 英里

102. 这段话的意思是说：

    A. 请您饱览美景   B. 请您不要超车

    C. 请您开车慢行   D. 请您热爱生命

103. 如果开车超过 100 英里，文章的意思是：

    A. 有可能出车祸死掉   B. 就不能欣赏美景

    C. 就应该去医院   D. 就会被控告

104～107

鼻子是人和高等动物的嗅觉器官，在呼吸中有举足轻重的作用。它直通肺脏，二氧化碳等废物从这里呼出。在生命过程中，它的工作一刻也不能停顿。

植物也需要"鼻子"与外界交换气体。植物的"鼻子"是遍布全身的气孔，叶、嫩茎、果实、种子、花朵和根上都有，但叶子表皮上最多。

在植物的呼吸作用中，气孔吸入氧气，排出二氧化碳。光合作用时，也要依靠气孔使大气中的二氧化碳扩散达叶面，并由此放出产生的氧气。更为重要的是由于气孔的自动开闭调节，使植物叶面不断进行蒸腾作用，对降低叶面温度，保持根部连续不断地吸取水分和无机养料，起着重要的作用。气孔若被堵塞，植物的生活就会产生障碍。花卉师傅经常告诫我们，要及时冲洗盆花叶面上的积灰，道理也在于此。

104. 植物的"鼻子"是指：

    A. 叶子表皮　　　　B. 根　　　　　　C. 气孔　　　　　　D. 嫩茎

105. 及时冲洗盆花叶面上的积灰的目的是：

    A. 使花更漂亮　　　　　　　　　　　B. 不使"鼻子"被堵塞

    C. 使叶面温度降低　　　　　　　　　D. 使环境更清洁

106. 给本文选一个最合适的题目：

    A. 鼻子　　　　　　　　　　　　　　B. 鼻子的重要性

    C. 人和植物的鼻子　　　　　　　　　D. 植物的鼻子

107. 以下哪种说法不对？

    A. 鼻子在呼吸中的作用非常大　　　　B. 植物也有"鼻子"

    C. 叶子表皮上气孔最多　　　　　　　D. 光合作用可以产生二氧化碳

108～112

    世界上有些国家吃辣椒很厉害，……有些人嗜辣椒到了"无辣椒不吃饭"的地步。

    辣椒能辣得人出汗、流眼泪、流鼻涕，不爱吃辣椒的人不禁要问："人们何苦要吃辣椒"？这是因为吃辣椒有三个好处：一是它的营养丰富，二是能驱风散寒，三是能增进人的食欲。研究表明，每100克辣椒的维生素含量大于100毫克，在蔬菜中占首位。俗话说"三个辣椒，顶件棉袄"。辣椒中的辣椒素对人体具有刺激作用。辣椒素一旦和舌头及嘴里的神经末梢接触，神经就迅速把"烧灼"信息传给大脑，大脑便让身体处于戒备状态，使心跳和脉搏加快，皮肤血管扩张，从而使人感到"发热"。大脑还同时指挥唾液和胃液的分泌，使胃肠蠕动加快，这就有利于消化，增进食欲。

    辣椒，很多人越吃越想吃。据心理学家分析，吃辣椒后，"烧灼"信息使大脑把身体作为"受伤"对待，从而促使身体放出一种止痛剂。这种止痛剂就像少量麻醉剂，能起到一种轻微的欢快作用，使人产生精神快感。这也许就是人们对辣椒越吃越爱吃的重要原因。

108. 第一段省略（……）的部分可能是讲：

    A. 爱吃辣椒的国家　　　　　　　　　B. 爱吃辣椒的人

    C. 爱吃辣椒的原因　　　　　　　　　D. 辣椒的来源

109. "有些人嗜辣椒到了'无辣椒不吃饭'的地步"，这句话是想说明：

    A. 有些人不太爱吃辣椒　　　　　　　B. 有些人习惯不好

    C. 有些人特别爱吃辣椒　　　　　　　D. 辣椒很好

110. 文章引用俗话"三个辣椒，顶件棉袄"的作用是：

  A. 说明辣椒营养丰富   B. 说明辣椒能增进人的食欲

  C. 说明人们吃辣椒的原因   D. 说明辣椒能驱风散寒

111. 人们对辣椒越吃越爱吃的重要原因可能是：

  A. 吃辣椒使人产生精神快感   B. 吃辣椒使人营养丰富

  C. 吃辣椒能驱风散寒   D. 吃辣椒能增进食欲

112. 以下哪种说法不对：

  A. 有人不理解为什么人们那么爱吃辣椒   B. 吃辣椒容易使人得病

  C. 吃辣椒能使人心跳和脉搏加快   D. 有些人对辣椒越吃越爱吃

113～115

  最早的镜子是水面，后来人们发明了青铜镜。

  中国古代的青铜镜是非常有名的，估计已有一千八百多年的历史。不仅在国内普遍使用，而且还销往日本、朝鲜等国家。唐太宗李世民有句名言："以铜为镜可以正衣冠，以古为镜可以知兴替，以人为镜可以明得失。"这里的"以铜为镜"，指的便是青铜镜。

  在埃及，也很早就有青铜镜了。此外，欧洲人曾造过银镜，俄国人制造过钢镜。

  然而，青铜镜毕竟太晦暗，银镜太贵，钢镜又太容易生锈。现在人们使用的镜子，都是又亮、又便宜、又不会生锈的玻璃镜。

113. 文中提到"销往日本、朝鲜"的是哪种镜子？

  A. 钢镜   B. 银镜   C. 青铜镜   D. 玻璃镜

114. 最后一段中，画线词语"晦暗"大概和以下哪个词意义相反？

  A. 便宜   B. 生锈   C. 亮   D. 不会生锈

115. 本文最合适的题目是：

  A. 玻璃镜   B. 镜子的发展   C. 青铜镜   D. 镜子的优缺点

116～120

  熊猫，也叫猫熊、大熊猫、大猫熊。它是我国特有的一种数量很少的动物。

  熊猫的生活习惯十分奇特而有趣。它生活在高山的森林里，喜欢吃竹笋、竹叶，一边走，一边吃，一边排粪，似乎不太讲究卫生。它喜欢爬树，常常爬到云杉树上剥皮，用不了多久就把树皮剥得精光。它喜爱喝水，喝饱水以后，往往像喝醉酒那样东倒西歪，或"醉卧"在河边。

  熊猫很淘气。有时，当猎人出去打猎的时候，它便趁猎人不在家，大摇大摆地闯进猎人搭起的棚子里，偷吃猎人的野味。吃完了，还把勺子扔得远远的，甚至把锅挂在树杈上。

  熊猫很机灵。森林里有一种小动物，叫竹鼠，经常在自己的洞里咬竹根。每当听到竹鼠咬竹根的声音，熊猫就根据声音寻找它的洞口。找到洞口后，熊猫立即不停地向洞里喷气，并用前爪在地上使劲地拍打。这一来可把竹鼠吓坏了，以为什么野兽就要钻进洞来吃它，于是赶紧逃走。谁知，熊猫早在一旁等待着，看见逃窜的竹鼠，马上扑上去猎取一顿美餐。

116. 根据本文，熊猫不吃什么？

    A. 竹叶　　　　　　　　　　　　B. 树皮

    C. 竹笋　　　　　　　　　　　　D. 竹鼠

117. 以下哪种说法不符合熊猫的情况？

    A. 只有中国才有　　　　　　　　B. 喜欢喝酒

    C. 生活习惯很特别　　　　　　　D. 有好几个名字

118. 以下哪点不是熊猫的生活习惯？

    A. 爱吃竹叶　　　　　　　　　　B. 爱爬树

    C. 爱吃猎人的野味　　　　　　　D. 爱喝水

119. 写竹鼠的目的是：

    A. 表明竹鼠很笨　　　　　　　　B. 说明熊猫很凶残

    C. 说明熊猫很机灵　　　　　　　D. 说明竹鼠很胆小

120. 从本文可以看出，作者对熊猫的态度是：

    A. 不明确　　　　　　　　　　　B. 喜爱

    C. 既有赞赏也有批评　　　　　　D. 批评

121～125

    我常常遗憾我家门前那块丑石：它黑黝黝地卧在那里，牛似的模样；谁也不知道是什么时候留在那里的，谁也不去理会它。只有在麦收时节，门前晒了麦子，奶奶总是要说：这块丑石，多碍事啊，什么时候把它搬走吧。

    它不像汉白玉那么细腻，可以刻字雕花；也不像大青石那么光滑，可以洗衣捶布。它静静地卧在那里，荒草在它四周繁衍出来。我们这些孩子也讨厌起它来了，曾合伙要搬走它，但力气又不足；虽常常咒骂它，嫌弃它，也无可奈何，只好任它留在那里了。

    ……

    终于有一日，村子里来了一个天文学家。他从我家门前经过，突然发现了这块石头，眼光立即就拉直了。他没有走，而是住了下来；以后又来了好些人，都说这是一块陨石，从天上落下来已经有二三百年了，是一件了不起的东西。不久就来了车，小心翼翼地将它运走了。

    这使我们都很惊奇！这又怪又丑的石头，原来是天上的呢！它补过天，在天上发过热、闪过光，我们的先祖也许仰望过它，它给了他们光明、向往；而它落下来了。在污土里，荒草里，一躺就是几百年！

……我感到自己的无知，也感到了丑石的伟大，我甚至怨恨它这么多年默默地忍受着这一切误解、嫌弃！而我又立即深深地感到它那种不屈于误解、寂寞地生存的伟大。

121. 以下哪种说法不符合丑石？
    A. 可以在上面刻字雕花　　　　　　　B. 不能用来洗衣服
    C. 曾让人们讨厌　　　　　　　　　　D. 很难看

122. 那个天文学家"眼光立即就拉直了"，可能是指他：
    A. 对石头的丑感到奇怪　　　　　　　B. 要专心看看这块石头
    C. 很惊喜并很看重这块石头　　　　　D. 很恐惧

123. 文中写"以后又来了好些人"中，"好些人"可能是指：
    A. 对天文学有研究的人　　　　　　　B. 看热闹的人
    C. 村里人　　　　　　　　　　　　　D. 艺术家

124. 作者写丑石的目的是：
    A. 表明它是有用的　　　　　　　　　B. 让人们发现它
    C. 歌颂它的伟大　　　　　　　　　　D. 揭示它有缺点，也有优点

125. 作者感到丑石伟大是因为：
    A. 它给过先祖光明、向往　　　　　　B. 它不屈于误解、寂寞地生存
    C. 它补过天　　　　　　　　　　　　D. 一般人讨厌它

126～130

到位于沙漠地带的叙利亚去旅行，最不能忍受的，是气候的干燥与闷热。所以，在叙利亚，不论白天晚上，都有各式各样的卖水人，他们卖的其实是新鲜的水果汁。这些水果汁便宜得叫人难以相信。当地人说，因为当地盛产水果，多了，也就贱了。

令人难忘的倒不是这些又便宜又好喝的水果汁，而是那些卖水人。

为了吸引顾客，卖水人都出尽奇招来装饰他们的摊位。有位卖橙水的，把橙子堆得像一座小山一样高，上面插满了精巧的塑料花。另一位卖萝卜水的，把萝卜叠成一个奇特的形状，惹人观看，这一观，当然便得"破财而欢"了。

最可爱的是一些吹笛子的卖水人。他们或站在购物中心，或站在马路旁边，身上挂着一个水壶，手拿笛子，放在嘴边，吹出一支又一支的曲子。当你经过时，他们会用眼睛向你说话：来吧，这么热的天，喝一杯水吧。

卖水人浓厚的人情味，也叫人非常感动。离我住的旅馆不远，有个卖柠檬水的，摊主是个脸上稚气未消的年轻人。他卖的柠檬水，一杯四毛钱，够酸又够浓。早晚我经过那儿时，总要停下来喝上两大杯，一天两趟，四杯，加上妻子的，共八杯。喝到第三天时，他竟对我说：你们晚上喝的，不必付钱，反正，我也要收摊了。

听了这话，我以为神奇地闯入了小时候读过的《镜花缘》里的"君子国"了；但定睛一

看，站在眼前的，却只是现代的一位卖水人——叙利亚一位笑口常开的卖水人。

126. 这篇文章的主要意思是：
     A. 描述叙利亚独特的风土　　　　　　B. 展现叙利亚的生意景象
     C. 赞美叙利亚的物产　　　　　　　　D. 怀念叙利亚卖水人

127. 以下哪种说法不符合本文的意思？
     A. 叙利亚生产的水果多，所以果汁便宜
     B. 卖水人出尽奇招，目的是显示自己的聪明
     C. 吹笛子的卖水人一般都没有摊位
     D. 卖水的其实卖的是果汁

128. 令我难忘的是：
     A. 卖水人浓厚的人情味　　　　　　　B. 叙利亚果汁便宜
     C. 叙利亚果汁好喝　　　　　　　　　D. 叙利亚很热

129. 叙利亚卖水人装饰摊位的目的是：
     A. 表明他们多才多艺　　　　　　　　B. 说明他们聪明
     C. 吸引顾客　　　　　　　　　　　　D. 感动顾客

130. 文中提到《镜花缘》里的"君子国"，目的是：
     A. 说明"君子国"里有叙利亚人　　　B. 衬托卖水人淳厚的品质
     C. 表明叙利亚是一个"君子"国度　　D. 表明在我国早就有这样的人存在

4·4·4·4·4·4·4

四、综合填空

(40题，30分钟)

第一部分

说明：131～154题，每段文字中都有若干个空儿（空儿中有题目序号），每个空儿都有A、B、C、D四个词语，请根据上下文的意思选择唯一恰当的词语（在答卷上的字母上画一横道）。

131～133

在 131 的自然界中，生存斗争无时无刻不在进行着。各种生物为了生存，需要不断地避开那些比自己 132 的种类，去捕食那些比自己 133 的种类。

131. A. 广阔　　　　　B. 宽阔　　　　　C. 辽远　　　　　D. 宽广
132. A. 坚强　　　　　B. 刚强　　　　　C. 强大　　　　　D. 顽强
133. A. 娇弱　　　　　B. 软弱　　　　　C. 柔弱　　　　　D. 弱小

134～136

目前，这种技术广泛 134 于医药、通讯信息，一年的营业额已经 135 五百亿美元。有预测 136 ，到 2010 年，这种技术的市场容量将达 14400 亿美元。

134. A. 作用　　　　　B. 应用　　　　　C. 使用　　　　　D. 用途
135. A. 成为　　　　　B. 达到　　　　　C. 是了　　　　　D. 到达
136. A. 说　　　　　　B. 说到　　　　　C. 看　　　　　　D. 想

137～141

137 她看来，一个好妈妈 138 要用心爱自己的儿女及身边的人， 139 要做好自己的事业， 140 141 给孩子做好榜样。

137. A. 把　　　　　　B. 在　　　　　　C. 将　　　　　　D. 从
138. A. 虽然　　　　　B. 假如　　　　　C. 不仅　　　　　D. 与其
139. A. 还　　　　　　B. 就　　　　　　C. 不如　　　　　D. 但是
140. A. 怎么　　　　　B. 这么　　　　　C. 那么　　　　　D. 这样
141. A. 就能　　　　　B. 就　　　　　　C. 才能　　　　　D. 才

4·4·4·4·4·4·4

142～149

阅览须知：

总馆____142____年满 18 岁以上的成年读者；

进入阅览室，须持国家图书馆读者证卡；

进入阅览室，请____143____仪表，勿着汗背心、穿拖鞋入馆；

随身携带的包及其他与借阅____144____的物品，请放存包处；

请勿在馆区内____145____烟；

请在指定地点____146____，勿携带食品入馆；

请____147____馆区安静，入室请将手机置于静音状态；

爱护书刊、资料和所有公共财物，丢失____148____须按规定赔偿；

维护馆内卫生，请勿在馆区内乱扔纸屑、果皮等杂物；

请自觉____149____国家图书馆各项规定，服从工作人员管理。

142. A. 招待　　　　　　B. 接待　　　　　　C. 接受　　　　　　D. 接收
143. A. 小心　　　　　　B. 修饰　　　　　　C. 注意　　　　　　D. 在乎
144. A. 关系　　　　　　B. 无关　　　　　　C. 有关　　　　　　D. 相关
145. A. 禁　　　　　　　B. 吸　　　　　　　C. 用　　　　　　　D. 吃
146. A. 就餐　　　　　　B. 食　　　　　　　C. 吃喝　　　　　　D. 吃
147. A. 维持　　　　　　B. 坚持　　　　　　C. 保护　　　　　　D. 保持
148. A. 损坏　　　　　　B. 损失　　　　　　C. 损伤　　　　　　D. 坏了
149. A. 遵照　　　　　　B. 遵守　　　　　　C. 遵循　　　　　　D. 按照

150～154

____150____你考上了大学，____151____会把小学、中学的奖状抱在怀里傻乐吗？____152____以 88 分战胜沙特队，中国男篮更像是和一群幼儿园的孩子坐在一起智力抢答，____153____必须一脸严肃认真，这种比赛是不是弱智了点儿？____154____这些看似辉煌的东西是应该抛到一边了。

150. A. 如果　　　　　　B. 即使　　　　　　C. 虽然　　　　　　D. 因为
151. A. 也　　　　　　　B. 但是　　　　　　C. 还　　　　　　　D. 所以
152. A. 因为　　　　　　B. 所以　　　　　　C. 至于　　　　　　D. 假如
153. A. 就　　　　　　　B. 才　　　　　　　C. 更　　　　　　　D. 还
154. A. 所以　　　　　　B. 之所以　　　　　　C. 是因为　　　　　　D. 就

4 · 4 · 4 · 4 · 4 · 4 · 4

第二部分

说明：155～170题，每段文字中都有若干个空儿（空儿中有题目序号），请根据上下文的
意思在答卷上的每一个空格中填写一个恰当的汉字。（在答卷的字母上画一横道）。

155～160

现将语言大学 2005 年夏季毕业典___155___有关事项通知如下。

请同学们务___156___于下午 2：00 前准时到场，持入___157___券到指定座位入座。

领完证书后请回到原座位，不要___158___开会场。

7月1日下午1：00—4：00 到图书___159___一层大厅退还学位服。

7月1日下午1：00—3：00 到教一楼 1003 房间领取证书、成___160___单、毕业照及纪
念册。

161～165

教育部组___161___编写的高等学校历史教材《中国通史教程》，最近由复旦大学出版社出
版了第一卷。在中国历史发展阶___162___的问题上，这套教材没有套用所___163___的"五种社
会形态论"，而是根据中国历史的固有特征，做出了令人耳目一___164___的划分。这成为这套
教材的诸多特色之一。征得教材主编姜义华教授的同意，我们节___165___了由他撰写的教材
前言的一部分，以飨读者。

166～170

转___166___间冬季已经到来，因此冬季常见病也时常___167___扰着宝宝和家长们，对于__
168___弱多病的宝宝而言，最容易引发疾病的就是上呼吸道感染，所以了解冬季上呼吸道感
染的常见病是非常有___169___要的。伤___170___感冒：冬季是呼吸道感染的流行季节，引起感
冒的病毒无所不在……

答案

一、听力理解

1. A	2. C	3. A	4. C	5. B	6. C	7. A	8. C	9. C	10. A
11. C	12. C	13. B	14. C	15. C					
16. D	17. C	18. A	19. B	20. A	21. C	22. B	23. B	24. A	25. B
26. A	27. A	28. B	29. C	30. C	31. D	32. B	33. D	34. A	35. D
36. C	37. B	38. A	39. D	40. B	41. D	42. B	43. A	44. D	45. C
46. A	47. A	48. C	49. A	50. D					

二、语法结构

51. D	52. B	53. A	54. D	55. C	56. C	57. B	58. C	59. B	60. B
61. B	62. C	63. D	64. C	65. C	66. B	67. C	68. D	69. A	70. D
71. C	72. A	73. C	74. A	75. B	76. A	77. A	78. C	79. B	80. B

三、阅读理解

81. D	82. A	83. D	84. B	85. B	86. D	87. C	88. B	89. D	90. B
91. D	92. D	93. D	94. A	95. A	96. C	97. D	98. D	99. C	100. B
101. B	102. C	103. A	104. C	105. B	106. D	107. D	108. A	109. C	110. D
111. A	112. B	113. C	114. C	115. B	116. B	117. B	118. C	119. C	120. B
121. A	122. C	123. A	124. C	125. B	126. D	127. B	128. A	129. C	130. B

四、综合填空

131. A	132. C	133. D	134. B	135. B	136. A	137. B	138. C	139. A	140. D
141. C	142. B	143. C	144. B	145. B	146. A	147. D	148. A	149. B	150. A
151. C	152. C	153. D	154. A						

155. 礼	156. 必	157. 场	158. 离	159. 馆	160. 绩	161. 织	162. 段
163. 谓	164. 新	165. 选	166. 眼	167. 困	168. 体	169. 必	170. 风

听力理解录音文本

第一部分

1. 爸爸果然不同意我单独去旅游，妹妹说的还挺准的。
   问：妹妹可能说什么了？

2. 妈妈打电话来说准备明天来，但我明天有课接不了她，她只好后天来。
   问：以下哪句话不对？

3. 早知道邮局9点才开门，我们干吗来这么早呢？
   问：这句话的意思是什么？

4. 今天留的作业你们尽可能明天交给我。
   问：这句话的意思是什么？

5. 麦克，你这么努力，一定会考好。
   问：从这句话我们可以知道：

6. 你真好意思天天让老人给你洗衣服吗！
   问：这句话告诉我们：

7. 这件衣服看起来很好，其实是在农贸市场买的，也就是200块钱。
   问：以下哪句话正确？

8. 他常常迟到跟他家离学校远有关，其实他每天起得并不晚。
   问：他常常迟到的原因是什么？

9. 今天早上我看错时间了，差点儿没赶上班车。
   问：从这句话可以知道什么？

10. 我去过很多国家，还从来没见过这么漂亮的。
    问：从这句话可以知道：

11. 他已经在那儿工作三个月了，对那里的工作应该很熟了。
    问：这句话告诉我们：

12. 我没说错吧，你早起 10 分钟，就不会迟到了。
    问：以下哪句话不对？

13. 我看透他了，每次他都说遇到困难会帮我，可实际上他还不如陌生人。哼！嘴上说得真好听。
    问：以下哪句话不对？

14. 我在美国呆了四年，一个地方也没有玩过。
    问：以下哪句话正确？

15. 听说过几天还会刮大风降温，羽绒服还是先别收起来，没准儿还得穿呢。
    问：从这句话可以知道：

第二部分

16. 男：在阳台上看书，要小心着凉。我昨天在那里看了会儿报纸，今天就有点感冒了。
    女：我穿着毛衣呢。
    问：从对话可以知道：

17. 男：听说你儿子的英语在他们班是最棒的。
    女：是不是最棒我不敢说，不过他敢说、爱说。
    问：女的想表达什么意思？

18. 女：毛毛现在说几个字了？
    男：他最多的时候能说"天线宝宝的围兜"七个字，因为他特别喜欢看天线宝宝的电视。
       不过，他一般只能说两三个字。
    问：从对话可以知道：

19. 男：你看，今天阳光多好，咱们要是今天去大民的葡萄园就好了。
    女：也未必，今天阳光是好，但是风太大，也不好。
    问：从对话可以知道：

20. 男：听说你们十一要自己开车去五台山，现在那里挺冷的。
    女：可不，听说十一期间零下 2 摄氏度呢。不过，十一不去，孩子他爸爸没有别的时间
       可以去。
    问：以下哪句话不符合对话的意思？

21. 女：哟，7 点多了，不可能吧？
    男：那个钟坏了，现在差 10 分 1 点。
    问：对话的意思是：

22. 女：师傅，请问这辆车去动物园吗？
　　男：你坐反了，下站下车去马路对过坐车。
　　问：他们在哪里说话？

23. 男：这本书过期了啊，过期一天罚款三毛，过期7天，一共两块一。
　　女：100块钱，您找得开吗？
　　问：根据对话，可以知道：

24. 女：过节我们单位一人发了一个床单。
　　男：哟，挺漂亮的，不过这种浅颜色的床单适合没有小孩的人家铺，放着送人吧。
　　问：以下哪个说法不对？

25. 男：今天下班以后我晚点儿回家，单位有点儿事。
　　女：你整天除了单位，还是单位，哪一件家务事是你做的？
　　问：哪句话符合对话的意思？

26. 女：小高，你们也买辆车吧，你上班那么远，每天路上都得三个小时吧！
　　男：买车也想过，可在哪儿停车呀，我们公司附近的停车位特别贵，再说有车能快多少呢？上下班高峰有哪条路不堵啊！
　　问：以下哪句话不对？

27. 女：咱们小时候过年多有意思啊，现在过年没什么气氛了，也就不像小时候那么盼着过年了。
　　男：可不是。主要是现在条件好了，不再是过年才穿新衣服、吃饺子，就觉得过年少了点儿什么似的。
　　问：以下哪句话不对？

28. 女儿：妈妈，我这一段时间特别没精神。
　　妈妈：我看你都是减肥减的，你看你的脸色都成什么了！你哪儿胖啊，减什么肥呀？
　　问：以下哪句话不对？

29. 女：明天咱们老同学想一块儿聚聚，这回可是咱们毕业十周年的聚会，上次五周年的时候你就没去。
　　男：哎呀，真不巧，明天我有个会，我还是主席，你看这怎么向老同学交代呀！
　　问：从对话可以知道：

30. 女儿：妈，天气凉了，感冒的特别多，早晚注意给宝宝添加衣服。
　　妈妈：你这当妈的就放心吧，我都看大了你们三个孩子了，这我还能不知道！
　　问：妈妈的意思是：

31. 女：那里的房子你怎么不租了，是不是太贵了？

男：倒也不全是，我主要是觉得离学校还是远了点，走着去要花半个小时，坐车又爱堵车。

问：男的不租房的原因不包括：

32. 女：你跟李利很熟，是吗？

男：说不上熟，除了节假日一块儿开车出去玩玩，平时也不怎么来往。

问：男的意思是他跟李利：

33. 女：什么时候喝你跟小王的喜酒啊？

男：早着呢，我们的事八字还没一撇呢！

问：从对话可以知道：

34. 女：这次考试我觉得够小心的了，可还是把题的顺序搞错了。

男：哪怕再小心，也难免会出错的。

问：以下哪句话符合对话的意思？

35. 女：听说你六千三一平米买上了绿景园的房子，不错呀！

男：贵倒是不贵，可塔楼怎么能跟你们的板楼比呀！

问：从对话可以知道：

第三部分

36～38 是根据下面一段话：

观众朋友，大家好，欢迎收看《谈话》节目。我们有句古话，叫"望子成龙"，每一个家长都希望自己的孩子是最好的，不光学习成绩要好，其他方面都得好。如果孩子不能达到像家长期望的那么完美的话，就会带来各种各样的烦恼。比如今天我们现场请来的一位小学生，就遇到了这种情况。

36. 访谈的对象是什么人？

37. 在这段话里，"望子成龙"是什么意思？

38. 接下来可能会谈什么？

39～43 是根据下面一段话：

我上中学时的一位同学给我讲过一个故事。当时，这个同学家里很穷，为了省电，他每天晚自习后十一点钟才回家，学校的大门也在他走后才缓缓地关上。他一直以为大门是要到那时候才关的，因此春夏秋冬，他天天如此，从不觉得有什么不妥。直到有一天，他被锁在学校里过了一夜，才知道学校大门是十点钟就关的，而原来负责关门的老大爷生病住院了。直到那时他才明白，老大爷一直在默默地为他开着方便之门。当他流着泪买了一大堆礼品去看望老大爷时，老大爷已经去世了……

听完这个故事，我们许多人的眼睛湿润了，为那个默默做好事的老人。

39. 本段录音主要讲的是哪个人？

40. 那个同学为什么那么晚回家？

41. 学校应该几点关门？

42. 那个同学为什么流泪？

43. 以下哪个说法符合本段录音的内容？

44～50 是根据下面一段话：

雅安公司人事部经理告诉我，面试将由贝克先生主持，在 10 人中挑选一名。贝克先生是全球闻名的大企业家，从一个报童到美国最大的广告公司的董事长，他的经历充满了传奇色彩，并且年龄也不大。

我一连几天，从英语口语、广告业务及穿戴方面都精心准备，以便顺利推销我自己。

考试是单独面试。我一走进会客厅，贝克先生便站起来。"是你！你是……"贝克先生用流利的中文说出了我的名字，并且快步走到我面前，紧紧地握住了我的双手。"原来是你，我找了你很长时间。"贝克一脸惊喜，激动地对在座的人说："先生们，我向你们介绍一下，这位就是救我女儿的那位年轻人。"我的心狂跳起来，没等我说话贝克先生就把我拉到他旁边坐下，说："我划船技术太差了，把女儿掉进了昆明湖中，要不是这位年轻人就麻烦了。"我竭力抑制住心跳，说道："很抱歉，贝克先生，我从未见过您，更没救过您女儿。"

贝克先生又一把拉住我："你忘啦？4 月 1 日，昆明湖公园，肯定是你！我记得你脸上有块黑痣，你骗不了我的。"我又很坚决地否认救过他的女儿，贝克先生楞住了。随后他笑了起来："年轻人，我很欣赏你的诚实。我决定，免试了。"

后来我知道，有 7 个人因为他女儿被淘汰了。其实，贝克先生根本没有女儿。

44. 这次面试特别重视什么？

45. 以下哪句话对？

46. 关于贝克，以下哪种说法对？

47. "淘汰"的意思是：

48～50 是根据下面一段话：

"行百里者半九十"，当我第一次听到这句话的时候，怎么也不明白它的意思。可是，一次体育课却使我明白了。

那节体育课的内容是测验 800 米跑，这可是我最头疼的一个项目了。"砰"，枪一响，我赶紧迈步跑起来。开始 200 米，我跑得还可以，第二个 200 米我开始出汗了。我暗自给自己加油"坚持到底就是胜利！"

跑完 700 米了，我感到浑身发酸，两条腿像灌了铅，呼吸也变粗了，步子也迈不开了，我向前望了望，哎哟，还有一个弯道，足足有 100 米。"还坚持得了吗？"我问自己。十步，二十步……这段跑道怎么这么长啊？比前 700 米还要长。我的心就要从胸腔里蹦出来了，嗓子又干又热，两条腿也不听使唤了。我实在没有力气跑了，便由跑变成走，最后腿一软，跪坐在了地上。

同学们围着我说："看，就差那么二十几米！"我也后悔得摇摇头。跑完 700 米只能算是跑过了一半，而失败就失败在这最后的几十米上，这不正是"行百里者半九十"吗？

48. 以下哪句话正确？

49. "步子也迈不开了"的意思是：

50. 我差多少没跑完？

中国汉语水平考试[HSK]答卷

[初、中等]

<table>
<tr><td>姓名</td><td>中文</td><td></td></tr>
<tr><td></td><td>英文</td><td></td></tr>
<tr><td colspan="2">试卷号码</td><td></td></tr>
</table>

序号	[0][1][2][3][4][5][6][7][8][9]
	[0][1][2][3][4][5][6][7][8][9]
	[0][1][2][3][4][5][6][7][8][9]
	[0][1][2][3][4][5][6][7][8][9]
	[0][1][2][3][4][5][6][7][8][9]

国籍/民族	
代号	[0][1][2][3][4][5][6][7][8][9]
	[0][1][2][3][4][5][6][7][8][9]
	[0][1][2][3][4][5][6][7][8][9]

[A] ■■

性别　□ 男　□ 女

考点代号

答题要求
1. 一定要用铅笔填写
2. 1—154题按规定这样填写 ■■ ✓,不允许这样填写 ⊠ × ⊡ ×
3. 155—170 题应在每个空格中填写一个恰当的汉字
4. 修改时要用橡皮擦干净

---

1 1 1 1

1	6	11	16	21	26	31	36	41	46
[A]	[A]	[A]	[A]	[A]	[A]	[A]	[A]	[A]	[A]
[B]	[B]	[B]	[B]	[B]	[B]	[B]	[B]	[B]	[B]
[C]	[C]	[C]	[C]	[C]	[C]	[C]	[C]	[C]	[C]
[D]	[D]	[D]	[D]	[D]	[D]	[D]	[D]	[D]	[D]
2	7	12	17	22	27	32	37	42	47
[A]	[A]	[A]	[A]	[A]	[A]	[A]	[A]	[A]	[A]
[B]	[B]	[B]	[B]	[B]	[B]	[B]	[B]	[B]	[B]
[C]	[C]	[C]	[C]	[C]	[C]	[C]	[C]	[C]	[C]
[D]	[D]	[D]	[D]	[D]	[D]	[D]	[D]	[D]	[D]
3	8	13	18	23	28	33	38	43	48
[A]	[A]	[A]	[A]	[A]	[A]	[A]	[A]	[A]	[A]
[B]	[B]	[B]	[B]	[B]	[B]	[B]	[B]	[B]	[B]
[C]	[C]	[C]	[C]	[C]	[C]	[C]	[C]	[C]	[C]
[D]	[D]	[D]	[D]	[D]	[D]	[D]	[D]	[D]	[D]
4	9	14	19	24	29	34	39	44	49
[A]	[A]	[A]	[A]	[A]	[A]	[A]	[A]	[A]	[A]
[B]	[B]	[B]	[B]	[B]	[B]	[B]	[B]	[B]	[B]
[C]	[C]	[C]	[C]	[C]	[C]	[C]	[C]	[C]	[C]
[D]	[D]	[D]	[D]	[D]	[D]	[D]	[D]	[D]	[D]
5	10	15	20	25	30	35	40	45	50
[A]	[A]	[A]	[A]	[A]	[A]	[A]	[A]	[A]	[A]
[B]	[B]	[B]	[B]	[B]	[B]	[B]	[B]	[B]	[B]
[C]	[C]	[C]	[C]	[C]	[C]	[C]	[C]	[C]	[C]
[D]	[D]	[D]	[D]	[D]	[D]	[D]	[D]	[D]	[D]

2 2 2

51	56	61	66	71	76
[A]	[A]	[A]	[A]	[A]	[A]
[B]	[B]	[B]	[B]	[B]	[B]
[C]	[C]	[C]	[C]	[C]	[C]
[D]	[D]	[D]	[D]	[D]	[D]
52	57	62	67	72	77
[A]	[A]	[A]	[A]	[A]	[A]
[B]	[B]	[B]	[B]	[B]	[B]
[C]	[C]	[C]	[C]	[C]	[C]
[D]	[D]	[D]	[D]	[D]	[D]
53	58	63	68	73	78
[A]	[A]	[A]	[A]	[A]	[A]
[B]	[B]	[B]	[B]	[B]	[B]
[C]	[C]	[C]	[C]	[C]	[C]
[D]	[D]	[D]	[D]	[D]	[D]
54	59	64	69	74	79
[A]	[A]	[A]	[A]	[A]	[A]
[B]	[B]	[B]	[B]	[B]	[B]
[C]	[C]	[C]	[C]	[C]	[C]
[D]	[D]	[D]	[D]	[D]	[D]
55	60	65	70	75	80
[A]	[A]	[A]	[A]	[A]	[A]
[B]	[B]	[B]	[B]	[B]	[B]
[C]	[C]	[C]	[C]	[C]	[C]
[D]	[D]	[D]	[D]	[D]	[D]

3 3 3 3

81	86	91	96	101	106	111	116	121	126
[A]	[A]	[A]	[A]	[A]	[A]	[A]	[A]	[A]	[A]
[B]	[B]	[B]	[B]	[B]	[B]	[B]	[B]	[B]	[B]
[C]	[C]	[C]	[C]	[C]	[C]	[C]	[C]	[C]	[C]
[D]	[D]	[D]	[D]	[D]	[D]	[D]	[D]	[D]	[D]
82	87	92	97	102	107	112	117	122	127
[A]	[A]	[A]	[A]	[A]	[A]	[A]	[A]	[A]	[A]
[B]	[B]	[B]	[B]	[B]	[B]	[B]	[B]	[B]	[B]
[C]	[C]	[C]	[C]	[C]	[C]	[C]	[C]	[C]	[C]
[D]	[D]	[D]	[D]	[D]	[D]	[D]	[D]	[D]	[D]
83	88	93	98	103	108	113	118	123	128
[A]	[A]	[A]	[A]	[A]	[A]	[A]	[A]	[A]	[A]
[B]	[B]	[B]	[B]	[B]	[B]	[B]	[B]	[B]	[B]
[C]	[C]	[C]	[C]	[C]	[C]	[C]	[C]	[C]	[C]
[D]	[D]	[D]	[D]	[D]	[D]	[D]	[D]	[D]	[D]
84	89	94	99	104	109	114	119	124	129
[A]	[A]	[A]	[A]	[A]	[A]	[A]	[A]	[A]	[A]
[B]	[B]	[B]	[B]	[B]	[B]	[B]	[B]	[B]	[B]
[C]	[C]	[C]	[C]	[C]	[C]	[C]	[C]	[C]	[C]
[D]	[D]	[D]	[D]	[D]	[D]	[D]	[D]	[D]	[D]
85	90	95	100	105	110	115	120	125	130
[A]	[A]	[A]	[A]	[A]	[A]	[A]	[A]	[A]	[A]
[B]	[B]	[B]	[B]	[B]	[B]	[B]	[B]	[B]	[B]
[C]	[C]	[C]	[C]	[C]	[C]	[C]	[C]	[C]	[C]
[D]	[D]	[D]	[D]	[D]	[D]	[D]	[D]	[D]	[D]

4 4 4

131	136	141	146	151
[A]	[A]	[A]	[A]	[A]
[B]	[B]	[B]	[B]	[B]
[C]	[C]	[C]	[C]	[C]
[D]	[D]	[D]	[D]	[D]
132	137	142	147	152
[A]	[A]	[A]	[A]	[A]
[B]	[B]	[B]	[B]	[B]
[C]	[C]	[C]	[C]	[C]
[D]	[D]	[D]	[D]	[D]
133	138	143	148	153
[A]	[A]	[A]	[A]	[A]
[B]	[B]	[B]	[B]	[B]
[C]	[C]	[C]	[C]	[C]
[D]	[D]	[D]	[D]	[D]
134	139	144	149	154
[A]	[A]	[A]	[A]	[A]
[B]	[B]	[B]	[B]	[B]
[C]	[C]	[C]	[C]	[C]
[D]	[D]	[D]	[D]	[D]
135	140	145	160	
[A]	[A]	[A]	[A]	
[B]	[B]	[B]	[B]	
[C]	[C]	[C]	[C]	
[D]	[D]	[D]	[D]	

注意：汉字一定要写在空格内，不要在 [H] [S] [K] 上涂画

4 4 4　　4 4 4　　4 4 4　　4 4 4　　4 4 4　　4 4 4

155 [H] [S] [K]　　158 [H] [S] [K]　　161 [H] [S] [K]　　164 [H] [S] [K]　　167 [H] [S] [K]　　169 [H] [S] [K]

156 [H] [S] [K]　　159 [H] [S] [K]　　162 [H] [S] [K]　　165 [H] [S] [K]　　168 [H] [S] [K]　　170 [H] [S] [K]

157 [H] [S] [K]　　160 [H] [S] [K]　　163 [H] [S] [K]　　166 [H] [S] [K]

中国汉语水平考试[HSK]答卷

[初、中等]

姓名	中文	
	英文	
试卷号码		

序号		[0] [1] [2] [3] [4] [5] [6] [7] [8] [9]
		[0] [1] [2] [3] [4] [5] [6] [7] [8] [9]
		[0] [1] [2] [3] [4] [5] [6] [7] [8] [9]
		[0] [1] [2] [3] [4] [5] [6] [7] [8] [9]
		[0] [1] [2] [3] [4] [5] [6] [7] [8] [9]

国籍／民族	
代号	[0] [1] [2] [3] [4] [5] [6] [7] [8] [9]
	[0] [1] [2] [3] [4] [5] [6] [7] [8] [9]
	[0] [1] [2] [3] [4] [5] [6] [7] [8] [9]

■ [B]

性别
□ 男
□ 女

考点代号

答题要求
1. 一定要用铅笔填写
2. 1-154题按规定这样填写 ■，不允许这样填写 ▱ ▱ ▭
3. 155-170题应在每个空格中填写一个恰当的汉字
4. 修改时要用橡皮擦干净

1	1	1	1

1 2 3 4 5 6 7 8 9 10
[A] [A] [A] [A] [A] [A] [A] [A] [A] [A]
[B] [B] [B] [B] [B] [B] [B] [B] [B] [B]
[C] [C] [C] [C] [C] [C] [C] [C] [C] [C]
[D] [D] [D] [D] [D] [D] [D] [D] [D] [D]

11 12 13 14 15 16 17 18 19 20
[A] [A] [A] [A] [A] [A] [A] [A] [A] [A]
[B] [B] [B] [B] [B] [B] [B] [B] [B] [B]
[C] [C] [C] [C] [C] [C] [C] [C] [C] [C]
[D] [D] [D] [D] [D] [D] [D] [D] [D] [D]

21 22 23 24 25 26 27 28 29 30
[A] [A] [A] [A] [A] [A] [A] [A] [A] [A]
[B] [B] [B] [B] [B] [B] [B] [B] [B] [B]
[C] [C] [C] [C] [C] [C] [C] [C] [C] [C]
[D] [D] [D] [D] [D] [D] [D] [D] [D] [D]

31 32 33 34 35 36 37 38 39 40
[A] [A] [A] [A] [A] [A] [A] [A] [A] [A]
[B] [B] [B] [B] [B] [B] [B] [B] [B] [B]
[C] [C] [C] [C] [C] [C] [C] [C] [C] [C]
[D] [D] [D] [D] [D] [D] [D] [D] [D] [D]

41 42 43 44 45 46 47 48 49 50
[A] [A] [A] [A] [A] [A] [A] [A] [A] [A]
[B] [B] [B] [B] [B] [B] [B] [B] [B] [B]
[C] [C] [C] [C] [C] [C] [C] [C] [C] [C]
[D] [D] [D] [D] [D] [D] [D] [D] [D] [D]

2	2	2	2

51 52 53 54 55 56
[A] [A] [A] [A] [A] [A]
[B] [B] [B] [B] [B] [B]
[C] [C] [C] [C] [C] [C]
[D] [D] [D] [D] [D] [D]

57 58 59 60 61 62
[A] [A] [A] [A] [A] [A]
[B] [B] [B] [B] [B] [B]
[C] [C] [C] [C] [C] [C]
[D] [D] [D] [D] [D] [D]

63 64 65 66 67 68
[A] [A] [A] [A] [A] [A]
[B] [B] [B] [B] [B] [B]
[C] [C] [C] [C] [C] [C]
[D] [D] [D] [D] [D] [D]

69 70 71 72 73 74
[A] [A] [A] [A] [A] [A]
[B] [B] [B] [B] [B] [B]
[C] [C] [C] [C] [C] [C]
[D] [D] [D] [D] [D] [D]

75 76 77 78 79 80
[A] [A] [A] [A] [A] [A]
[B] [B] [B] [B] [B] [B]
[C] [C] [C] [C] [C] [C]
[D] [D] [D] [D] [D] [D]

3	3	3	3

81 82 83 84 85 86 87 88 89 90
[A] [A] [A] [A] [A] [A] [A] [A] [A] [A]
[B] [B] [B] [B] [B] [B] [B] [B] [B] [B]
[C] [C] [C] [C] [C] [C] [C] [C] [C] [C]
[D] [D] [D] [D] [D] [D] [D] [D] [D] [D]

91 92 93 94 95 96 97 98 99 100
[A] [A] [A] [A] [A] [A] [A] [A] [A] [A]
[B] [B] [B] [B] [B] [B] [B] [B] [B] [B]
[C] [C] [C] [C] [C] [C] [C] [C] [C] [C]
[D] [D] [D] [D] [D] [D] [D] [D] [D] [D]

101 102 103 104 105 106 107 108 109 110
[A] [A] [A] [A] [A] [A] [A] [A] [A] [A]
[B] [B] [B] [B] [B] [B] [B] [B] [B] [B]
[C] [C] [C] [C] [C] [C] [C] [C] [C] [C]
[D] [D] [D] [D] [D] [D] [D] [D] [D] [D]

111 112 113 114 115 116 117 118 119 120
[A] [A] [A] [A] [A] [A] [A] [A] [A] [A]
[B] [B] [B] [B] [B] [B] [B] [B] [B] [B]
[C] [C] [C] [C] [C] [C] [C] [C] [C] [C]
[D] [D] [D] [D] [D] [D] [D] [D] [D] [D]

121 122 123 124 125 126 127 128 129 130
[A] [A] [A] [A] [A] [A] [A] [A] [A] [A]
[B] [B] [B] [B] [B] [B] [B] [B] [B] [B]
[C] [C] [C] [C] [C] [C] [C] [C] [C] [C]
[D] [D] [D] [D] [D] [D] [D] [D] [D] [D]

4	4	4

131 132 133 134 135
[A] [A] [A] [A] [A]
[B] [B] [B] [B] [B]
[C] [C] [C] [C] [C]
[D] [D] [D] [D] [D]

136 137 138 139 140
[A] [A] [A] [A] [A]
[B] [B] [B] [B] [B]
[C] [C] [C] [C] [C]
[D] [D] [D] [D] [D]

141 142 143 144 145
[A] [A] [A] [A] [A]
[B] [B] [B] [B] [B]
[C] [C] [C] [C] [C]
[D] [D] [D] [D] [D]

146 147 148 149 150
[A] [A] [A] [A] [A]
[B] [B] [B] [B] [B]
[C] [C] [C] [C] [C]
[D] [D] [D] [D] [D]

151 152 153 154
[A] [A] [A] [A]
[B] [B] [B] [B]
[C] [C] [C] [C]
[D] [D] [D] [D]

注意：汉字一定要写在空格内，不要在 [H] [S] [K] 上涂画

4 4 4	4 4 4	4 4 4	4 4 4	4 4 4	4 4 4

155 [H] [S] [K]　　156 [H] [S] [K]　　157 [H] [S] [K]　　158 [H] [S] [K]　　159 [H] [S] [K]　　160 [H] [S] [K]

161 [H] [S] [K]　　162 [H] [S] [K]　　163 [H] [S] [K]　　164 [H] [S] [K]　　165 [H] [S] [K]　　166 [H] [S] [K]

167 [H] [S] [K]　　168 [H] [S] [K]　　169 [H] [S] [K]　　170 [H] [S] [K]